Dariusz Muszer **Gottes Homepage**

Dariusz Muszer

Gottes Homepage

Roman

A1 Verlag

❭ Im Zeitalter des Regenbogens

Wir schreiben das Jahr des Achtundachtzigsten Violetts. Früher, vor der Landung oder vor dem Herausschlüpfen, wie manche es bezeichnen, haben wir lediglich Zahlen verwendet, um den Verlauf der Zeit zu begreifen und unsere Ängste vor Zerfall und Tod zu verbergen. Jetzt gibt es keinen Tod mehr, und wir mischen Zahlen mit Farben. Mir gefällt das nicht besonders. Malern und Mathematikern darf man nie zu sehr vertrauen. Ich bin altmodisch wie Computer der vierten Generation oder eine Mehrwegflasche. Ich gestehe aber, dass es mir bisweilen Spaß macht, die neue Zeitbezeichnung zu gebrauchen. Insofern kann ich ohne Scham sagen: Ich bin hundertachtundzwanzig Jahre grau. Ein gefährliches Alter für einen Menschen, wie man weiß. Noch gefährlicher, falls es sich um einen Echten handelt. Für Geklonte dagegen ein undenkbares.

Die Erde bleibt nach wie vor der dritte Planet unseres Sonnensystems, in dem es bekanntlich zwölf Planeten gibt. Unsere Tante Klara scheint müde zu sein. Wie lange sie noch mitmacht, ist ungewiss. Für eine Sonne hat auch sie ein gefährliches Alter erreicht. Daher planen die Niebieskis, wie sich die Himmelblauen in ihrer Sprache nennen, schon die nächste Ausdehnung des Multiversums. Hoffentlich werde ich das nicht mehr erleben müssen. Die zwei, bei denen ich dabei war, haben mich nachdenklich gemacht. Ich bin der Meinung, man sollte die Sache anders angehen. Die Fortpflanzung der Planeten und Sterne darf man auf keinen Fall den Technikern und Philosophen überlassen. Zu viel könnte dabei in die Hose gehen. Niebieskis tragen keine Hosen. Unterhemden tragen sie auch nicht. Von Natur aus sind sie so ausgestattet, dass sie überhaupt nichts zum Anziehen brauchen. In dieser Hinsicht sind sie also vollkommen. Wie einst südamerikanische Lamas oder holländische Kühe. Doch die Niebieskis sind überheblich geworden und das war auch nicht anders zu erwarten. Vor langer, langer Zeit schufen sie den Menschen ihnen zum Bilde, wie auf Gottes Homepage zu lesen ist. Dann waren die Menschen an der Reihe, sich schöpferisch zu betätigen, und sie schufen die Niebieskis ihnen zum Bilde. Als das geschehen war, stellte sich heraus, dass die Erde erschöpft und dünn besiedelt war. Also begann man eifrig zu klonen. Dabei ist zu viel Schrott entstanden, besonders am Anfang. Jetzt hat man angeblich das Klonverfahren völlig im Griff und stellt ausschließlich Qualitätsprodukte her. Mal sehen, wie lange das noch dauern wird. Mal sehen!

Ein Echter braucht drei Liter Wasser am Tag, ein Geklonter dagegen die doppelte Menge, um zu funktionieren. Wenn ein Klon versäumt, regelmäßig seine Ration Wasser zu sich zu nehmen, altert er rapide. Die Ursache hierfür liegt auf der Hand: Kühlung und Schadstoffausscheidung versagen. Zum Glück haben wir Wasser in Hülle und Fülle. Nach dem letzten Großen Schmelzen sind die Erdozeane voluminöser geworden und gelten als unerschöpflich. Unsere Zerstörer der Ionenverbindungen arbeiten Tag und Nacht auf vollen Touren und entsalzen Meerwasser. Wasser aus Entsalzungsanlagen ist aber kein Erzeugnis für Feinschmecker. Und die alte Sonne? Ja, was ist mit unserer Sonne? Wenn es nach mir ginge, würde ich sie auf der Stelle ausknipsen.

Wenn Menschen sich anstrengen, können sie in der Nacht notdürftig sehen. Geklonte und Niebieskis dagegen nicht. Dafür brauchen sie Hilfsgeräte. Ein solches Hilfsgerät ist billiger als eine gebrauchte Siedlerwohnung auf dem Mond.

Es ist schön, immer noch ein Mensch zu sein.
Es ist schön, richtig zu ticken.
Am schönsten aber ist es, keine Flügel zu haben und trotzdem fliegen zu können.

› Vierundvierzig

Mit vierundvierzig habe ich zum ersten Mal Gottes Homepage gesehen. Das war purer Zufall und ich möchte heute nicht den Eindruck erwecken, ich hätte damals nach ihr gesucht. Zu jener Zeit habe ich überhaupt nichts gesucht, weil ich überzeugt war, alles Wichtige längst gefunden zu haben: Liebe, Geld, Glück. Doch ich wurde eines Besseren belehrt und musste mir bald eingestehen, dass ich im Grunde nur geschlafen hatte. Wie ein Sauerampferblatt hatte ich vor mich hin gelebt, und meine einzige erwähnenswerte Abwechslung bestand darin, einen Garten besuchen zu dürfen, in dem ich Gemüse und Obst anbauen konnte.

In all den Jahren, die seitdem vergangen sind, hatte ich genügend Zeit, über diese ereignisreiche Nacht im September nachzudenken, und ich bin zu dem Schluss gekommen, dass ich es in keiner Weise verdient habe, die Homepage Gottes zu Gesicht zu bekommen. Es war ein Akt der Barmherzigkeit und mein Vater spielte dabei eine entscheidende Rolle. Wäre er nicht gewesen, so wäre mir diese Gnade sicher nicht zuteilgeworden. Natalia, meine heilige Mutter, hatte also Recht, als sie mir erzählte, dass er eines Tages wiederkommen und sich in seiner neuen Gestalt zeigen würde. Sie war eine bemerkenswerte und kluge Frau. Schade, dass sie im Ersten Krieg um die Luft gefallen ist. Sie hätte sich bestimmt gefreut, unsere Zeiten erleben zu können, und die Menschen würden sie heute verehren wie eine Göttin.

Freyja glaubt nicht daran. Sie sagt, ich hinge zu sehr an meiner Mutter und solle mich endlich abnabeln, schließlich sei ich alt genug. Aber sie glaubt zurzeit an kaum etwas, was ich ihr keineswegs übel nehme, weil es für mich das Wichtigste ist, dass sie nach wie vor an unsere Liebe glaubt. Wenn man seit beinahe einem Jahrhundert mit einem Menschen zusammen ist und ihn immer noch liebt und noch dazu den Wunsch hat, mindestens weitere fünfzig Jahre mit ihm durchs Leben gehen zu können, dann kann man vielleicht vermuten, dass eine solche Beziehung von Dauer ist.

In dieser Hinsicht sind wir in unserer Welt keine Ausnahme. Die Menschen lieben sich wie verrückt und bleiben ewig zusammen. Kinder haben sie aber nicht. Es wird geklont. Die neuen Menschen kommen aus den alten. Oder aus der Dose, was letztlich auf dasselbe hinausläuft.

Den Paaren, die eine Trennung von Tisch und Bett vollziehen, wird die monatliche Naturalverpflegung um zwei Drittel gekürzt. Das ist hart, weil uns Menschen nur wenig Geld zur Verfügung steht, um auf dem freien Markt einzukaufen. Es gibt Leute, die sich davon beeinflussen lassen.

Nach ihrer letzten Runderneuerung ist Freyja viel jünger geworden, als es die gültigen Gesetze erlauben. Die Ärzte hätten einen Kunstfehler begangen, erklärte sie mir ein wenig verlegen. Während der Operation sei manches schiefgelaufen. Von wegen! Ich weiß, dass sie den Oberquacksalber der städtischen Klinik ordentlich geschmiert hat.

Dr. Hubert Stein kenne ich persönlich und auch seine Machenschaften. Er ist kein Mediziner, sondern ein verfluchter dänischer Scharlatan, der mit allen Desinfektionsmitteln gewaschen ist. Er ist so irrsinnig reich, dass er nicht mehr weiß, wo er mit seinem Geld hin soll. Er besitzt nicht nur eine Yacht bei Kreta, sondern auch ein Iglu auf Grönland. Für einen Geklonten hat er es wirklich zu etwas gebracht.

8

Kurz vor meiner letzten Runderneuerung hat er mir angeboten, meine Erdenzeit um ein paar Jahre mehr als erlaubt zurückzustellen, was ich aber aus Mangel an Vermögen ablehnen musste. Freyja jedoch hatte das nötige Geld, weil sie im letzten Winter eine Menge Schmuck geerbt hatte. Mein Antrag auf eine Erbschaft wurde dagegen abgelehnt. Ich hatte mich deswegen geschämt, und Freyja musste mich trösten. Sie tat es gern. Trösten gehört zu ihrem Wesen. Selbstverständlich hatte Freyja nicht wirklich geerbt, jedenfalls nicht im klassischen Sinn. In einer Welt, in der es keine richtigen Familien mehr gibt, kann man auch nicht richtig erben. Erben bedeutete also, dass Freyja in einer staatlich subventionierten Lotterie einen Erbteil gewonnen hatte. Es war ein Teil des Vermögens eines weiblichen Klons, dessen Leben auf seinen eigenen Wunsch ausgelöscht worden war. In Sachen Tod oder Leben dürfen Geklonte nach Lust und Laune handeln. Sie können sozusagen ungestraft ihr Leben wegwerfen. Wenn sie sich entschließen zu sterben, dann tun sie das auch. Unter ärztlicher Aufsicht und in aller Öffentlichkeit. Der Freitod eines Geklonten wird meistens live im Fernsehen übertragen. Nachahmer sind erwünscht, weil dies das Geschäft mit religiösen Werbespots ankurbelt.

Freyja ist hundertvierundzwanzig, also vier Jahre jünger als ich. Sie hat schon immer hübsch ausgesehen, aber jetzt, nachdem sie sich gehäutet hat und ihre neue Körperhülle vollkommen nachgewachsen ist, sieht sie hinreißend aus. Es scheint mir, dass sie jetzt schöner ist denn je. Das ist eine Täuschung, doch mit einer solchen Halluzination lebe ich gerne. Am liebsten würde ich sie auf den Küchentisch stellen und wie eine Skulptur betrachten, aber sie bevorzugt unsere Schlafkammer. Ihr Verlangen nach körperlicher Liebe hat sich gesteigert. Ich muss ihr Gedächtnis bewundern. Sie ist imstande, sich an alles zu erinnern. Sie erinnert sich sogar an den Namen des Hotels in Norditalien, wo wir unseren ersten gemeinsamen Urlaub verbrachten, und an den Geruch des nächtlichen Meeres. Um ihr eine Freude zu machen, höre ich aufmerksam zu, wenn sie unsere Geschichte erzählt, und wir lieben uns wie in alten Zeiten. Verständlicherweise warte ich also mit ein wenig Ungeduld auf meine vierte Runderneuerung. Mal sehen, vielleicht passiert ja etwas Neues.

Nachts träume ich manchmal von einem Apfel. Ich halte ihn in der Hand, fühle seine zarte, rote Schale und rieche seinen berauschenden Duft. Aber mein Gedächtnis versagt kläglich, wenn ich versuche, mich daran zu erinnern, wie ein richtiger Apfel schmeckt. Schweißgebadet wache ich dann auf. Es ist schon lange her, dass ich einen lebenden Apfelbaum gesehen und seine Früchte gegessen habe. Tote Apfelbäume gibt es im Frühherbst vor dem Erntedankfest an jeder Ecke zu kaufen. Man produziert sie irgendwo im Süden und bringt sie in die Städte. Die Städter sind nämlich verrückt nach toten Apfelbäumen.

Wir sind ohnehin besser dran als die meisten. Wir können uns noch an vieles erinnern. »Das kommt daher, dass wir als Kinder viel Fisch gegessen haben«, meint Freyja. Doch das ist ein Irrtum, Fische haben damit nichts zu tun. Bis heute weigert sie sich anzuerkennen, dass man bei uns beiden probeweise die Daumencomputer der ersten Generation eingebaut hat, die immer noch laufen. Wir waren so etwas wie Prototypen. Danach gab es noch Däumchen einer zweiten und dritten Generation, bevor der Serienbau erfolgte. Zum Glück hat man uns vergessen und in Ruhe gelassen. Die Chips unserer Computer wurden nie ausgewechselt.

Ich glaube, mein Vater verfolgt aufmerksam den Gang der Ereignisse und hat uns unter seine Fittiche genommen. Er erlaubt nicht, dass man unser Gedächtnis auslöscht. Schließlich bin ich der einzige Mensch, der sich noch an ihn und seine Geschichte erinnern kann. Ohne mich würde es ihn nicht mehr geben. Warum aber beschützt er auch Freyja? Wahrscheinlich möchte er nicht, dass ich allein die Last der Erinnerungen trage. Überdies weiß er, wie sehr ich Freyja liebe und dass ich ohne sie sterben würde. Sie musste schon zwei Mal aus der Welt der Toten geholt werden, damit ich weiterleben konnte. Das erste Mal geschah dies während des Ersten Krieges um die Luft, das zweite Mal liegt knapp zwanzig Jahre zurück.

Übrigens, 44 ist eine kabbalistische Zahl des Phönix, jenes heiligen Vogels aus Indien oder Ägypten, der bei der Weltschöpfung auf dem Urhügel erschienen war. Er ist imstande, sich selbst zu verbrennen und aus der Asche neu aufzusteigen, was im Klartext bedeutet: Nach dem Tod wird er aus eigenem Dünger wiedergeboren. Diese Fähigkeit finde ich bemerkenswert. Für alle Geklonten ist das hingegen der normale Lauf der Dinge. Zur Herstellung benutzt man als Dünger ihren eigenen DNA-Code.

Freyja und mich darf man nicht klonen. Vor einigen Jahren wurde es per Gesetz verboten, reine Menschen zu vervielfältigen. Nur Geklonte dürfen weiter geklont werden, »bis ans Ende aller Tage«, wie man das in der Charta der Erde formuliert hat. So wurde die Menge der Asche, aus der die Phönixe entstehen können, ein für alle Mal festgelegt. Freyjas und mein Code sind also überflüssig. Dafür habe ich Verständnis. Freyja dagegen nicht. Manchmal schaltet sie auf stur. Ostfriesisches Blut verpflichtet.

❭ Pfeifendes Anglos

Als ich mit dem Messer ein weich gekochtes Waranenei köpfte, kam ich auf die Idee, meine Memoiren niederzuschreiben. Es war ein Freitag im letzten Frühling. Ich saß gut gelaunt mit Freyja auf unserem Balkon und wir frühstückten. Ohne lange zu zögern fragte ich sie, was sie davon hielte. Freyja schwieg eine Weile, schaute in den bedeckten Himmel, der über der Stadt wie ein schmutziges Laken hing, und begann zu lachen. Sie lachte so herzlich, dass ich mitlachen musste.

»Mach dich nicht unglücklich«, sagte sie schließlich. »Du kannst nicht schreiben, das hast du längst verlernt. In den letzten fünfzig Jahren habe ich dich nur bei zwei Gelegenheiten schreiben sehen, einmal war es ein Einkaufszettel und das andere Mal ein Brief an unseren Vermieter wegen einer zu hohen Nebenkostenabrechnung. Eine Woche hast du an dem Brief gearbeitet, weißt du noch? Und was ist daraus geworden? Man hat uns die Wohnung gekündigt. Besinne dich, mein liebstes Schwänzchen! Mit Sprechen kommst du vielleicht zurecht, aber Schreiben ist wirklich nicht deine Sache. Lass die anderen sich in der Welt der Buchstaben austoben und bleib selber lieber auf dem Teppich.«

Eine halbe Stunde dauerte ihr Monolog darüber, wie absurd und grotesk mein Vorhaben wäre. Und sie erreichte, was sie erreichen wollte. Freyja war schon immer eine gewitzte Frau, sie wusste, wie man mich zu großen Taten anspornt.

»Teppich hin oder her. Wenn es so unmöglich ist, dass ich ein Buch schreibe, dann mache ich es eben«, sagte ich, und sie lächelte vergnügt. Ich lächelte zurück und küsste ihr die Hand. Wir sind ein anachronistisches Paar. Immer noch benutzen wir unsere Hände, Zunge, Mund und Haut und beschnuppern unsere Geschlechtsorgane und lecken sie ab, wenn wir Zärtlichkeiten austauschen wollen, genauso wie das die Affen in alten Zeiten getan haben.

So hat also alles angefangen: mit einem Ei, mit dem schmutzigen Himmel, mit viel Gelächter und mit Freyjas List.

Noch am gleichen Vormittag bat ich die Kulturbehörde in meiner damaligen Kommune, mir die Erlaubnis zu erteilen, ein Buch auf alte Art und Weise zu verfassen. Zweifelsohne ist ein solches Vorhaben eine riskante Sache, weil man nie weiß, was am Ende dabei herauskommt. Moderne Literatur wird anders geschrieben. Von vorneherein weiß man, wer der Gute und wer der Böse ist und was die Protagonisten sagen werden. Darüber hinaus gibt es in den Büchern genaue Angaben, wann und wie laut man lachen oder weinen soll und wie schnell eine Seite zu bewältigen ist. Alles ist vorgeschrieben, alles ein abgekartetes Spiel, das die Autoren und die Verleger, die eigentlich keine Autoren und keine Verleger mehr sind, mit den Lesern treiben. Denn es gibt Zensur. Nicht die institutionelle, staatliche Zensur, die früher bei den sogenannten undemokratischen Systemen beliebt war, sondern die, die in den Köpfen entsteht, wenn man zu viel auf einmal kriegt: die Zensur aus Gleichgültigkeit. Jede Gesellschaft ist im Grunde genommen totalitär und zensurverliebt. Meistens hat sie davon aber keine Ahnung.

Drei Tage später war es so weit. Ich wurde durch einen Boten benachrichtigt, dass ich zur Zentrale nach Oslo müsse. Aus einer Schnapsidee wurde also Ernst.

Normalerweise spielt sich der behördliche Briefverkehr elektronisch ab, diesmal jedoch schickten sie mir einen echten Geklonten ins Haus. Freyja erschrak so sehr, als sie den gelbgrünen Behördenmann auf der Schutzsaugmatte vor unserer Wohnung in der 44. Etage erblickte, dass sie in Ohnmacht fiel. Sie dachte, in unserer Stadt sei schon wieder ein Krieg ausgebrochen und man wolle mich internieren.

Zuerst kümmerte ich mich um Freyja, legte sie aufs Sofa und verabreichte ihr eine ordentliche Portion Methyltheobromin direkt ins Gehirn. Dann widmete ich mich dem geduldig vor der Tür wartenden Besucher. Ich bat ihn herein, aber er beharrte darauf, draußen zu bleiben. Er habe Angst, wir könnten ihn anstecken, sagte er und erwähnte eine Seuche, die sich in unserer sozial schwachen Gegend ausbreite und schon viele Opfer gefordert habe. Ich wisse nichts davon, dass unsere Regierung sich erneut entschlossen habe, die Zahl der Stadteinwohner zu regulieren, erwiderte ich. Erst im Frühling hatte es nicht weit von uns, in der Weststadt, Reinigungsmaßnahmen gegeben und man hatte damals unter Anwendung eines Software-Grippevirus unsere Stadt um zirka fünfhunderttausend Geklonte verkleinert. Betroffen waren vorwiegend kostengünstige Fabrikate aus Südostasien, hieß es in den Regierungsmedien, und in Zukunft würde man sich bemühen, neue arbeitsfähige Qualitätsprodukte zu importieren. Daraus wurde aber nichts. Nach einer Woche wurde die Einfuhr ausländischer Klone völlig eingestellt. Angeblich waren sie mit unseren Arbeitsgeräten nicht kompatibel. Diese Erklärung fand ich seltsam. Einen Geklonten kann man im Handumdrehen umprogrammieren, es reicht doch, ihm einen neuen Chip einzusetzen oder eine neue Software zu installieren.

Ich bedankte mich bei dem Besucher für die Warnung und erwähnte stolz, dass meine Frau und ich gegen alle bekannten und unbekannten Krankheiten immun seien. Dann wollte ich von ihm wissen, um welche Art Seuche es sich diesmal handele. Darüber wollte der Behördenmann mit mir nicht sprechen. Er hatte erkannt, dass ein Echter vor ihm stand. Ich merkte, dass er sich verletzt fühlte und entschuldigte mich für mein Benehmen. Er lächelte schwach, während er mir seinen Ausweis zeigte, und erklärte, meine Frau solle sich keine Sorgen machen, er komme im Namen der Kulturbehörde.

Ich musste meine Reisechipkarte hergeben, die er in seinen Daumencomputer steckte, und bestätigen, dass ich eine einfache Flugeinheit erhalten hatte. Verwundert fragte ich ihn, was mit dem Rückflug sei. Er kannte sich in solchen Angelegenheiten gut aus. »Du kommst nicht wieder«, sagte er mit pfeifender Stimme, woran man erkennen konnte, dass er im Osten geklont worden war. Ich wollte noch mehr von ihm wissen, er aber verabschiedete sich höflich und ging. Als er auf den Aufzug wartete, drehte er sich noch einmal um:»Sag es nicht weiter, aber wenn ich persönlich zu jemandem komme, dann geht er für immer weg. Hab keine Angst, es wird nicht wehtun. Da, wo du hinmusst, blühen die Zitronenbäume.«

Ich war mir nicht sicher, ob ich sein pfeifendes Anglos richtig verstanden hatte. Im Umgang mit Geklonten muss man ständig auf der Hut sein. Sie sprechen oft in Rätseln.

> **Tu 144**

Zwei Tage später flog ich nach Oslo. Die Reise dauerte zwölf Stunden, von denen wir lumpige sechsundzwanzig Minuten in der Luft verbrachten. Wegen einer Bombendrohung mussten wir in Barcelona zwischenlanden.

Freie Tatry, eine slowakische Terroristengruppe, habe einen Sprengkörper in Form eines Bidets in einer der Toiletten unseres Flugzeugs deponiert, erfuhren wir, nachdem man uns mit einem Bus in die Wartezone gebracht hatte.

Vita Chita, eine Journalistin von Canal n+1, nur mit der eigenen Haut kostümiert, rätselte am flüssigen Großbildschirm darüber, wie es möglich gewesen sei, bei den auf europäischen Flughäfen herrschenden Sicherheitsvorkehrungen eine Bombe an Bord zu bringen.»Unfassbar! Ein Skandal! Eine ungeheure Schweinerei!«, schrie sie und warf ihre schwarzen, feuchten Lippen mit gelben Flecken auf, bei deren Anblick ich an einen Blutegel denken musste, den man zum Sezieren aufgeschlitzt hat. Dann schlug sie vor, schnellstens einen interplanetaren Ausschuss einzuberufen und die Verantwortlichen an den Pranger zu stellen. Bei dem Wort Pranger knallte sie einige Male mit einer Reitpeitsche, die sie in der Hand hielt, und fauchte wie eine Katze. Als sie damit fertig war, überlegte sie laut, wer sich in Zukunft um die Sicherheit auf unseren Flughäfen kümmern sollte, und fand auch gleich eine Antwort. Ihren Worten folgte ein Werbespot einer südamerikanischen Firma, die sich auf High-Tech-Schutzanlagen spezialisiert hatte.

Ich glaubte Vita Chita kein Wort. Sie hatte gigantische Hängetitten ohne Brustwarzen, wie sie gerade in Buenos Aires in Mode waren, und versuchte andauernd, den Zuschauern weiszumachen, sie sei von Kopf bis Fuß brodelnde Sexualität. Es war zum Heulen. Im Grunde war sie nichts anderes als ein kleiner, pubertierender Latinoklon, der noch nicht genau wusste, was aus ihm würde: ein Männchen oder ein Weibchen. In dieser Hinsicht haben die Latinos es schwerer als die anderen. Dennoch sind sie bei den Medien außergewöhnlich beliebt. Noch vor zwei Monaten hatte Vita Chita Spiegelei-Brüste gehabt, die zu jener Zeit als besonders schick und modern galten. Leuten, die zu großen Wert auf ihr Äußeres legen und auf plastische Chirurgie schwören, sollte man nicht vertrauen, weder Menschen noch Geklonten. Und Journalisten sollte man auch nicht glauben. Ihre Daumencomputer sind ausschließlich auf Empfang und Weiterleitung von gefälschten Informationen eingestellt. Eine wahre Information kann einen Berichterstatter im Grunde nicht erreichen, es sei denn, sie wurde vorher manipuliert und als falsch angekündigt. Das Journalistendasein ist grenzenlos pervers.

Von einem Mann aus der Putzkolonne, einem angenehmen Geklonten aus Südostsibirien, erfuhr ich, was die slowakischen Terroristen mit ihrer Aktion erreichen wollten. Sie erhoben Anspruch auf freien Zugang zu den Uranminen in Nepal für alle Erdlinge. Im Grunde eine gerechte Forderung. Und eine einfältige obendrein. Wer braucht schon

Uran, wenn man an jeder Ecke Plutonium oder Blausaft kaufen kann? Blausaft ist die beste Energiequelle. Alles läuft bei uns mit Blausaft. Ohne ihn wären wir und unsere Städte längst ausgestorben.

Das Spezialkommando der Polizei hatte eine harte Nuss zu knacken, weil ihnen der Sprengstoff auf dem Klo unbekannt war. Ich tippte auf eine einfache Keramikbombe, wie man sie vor zirka sechzig Jahren in einem slowakischen Dorf südlich der Niederen Tatra zum ersten Mal gebastelt hatte und die man mit Gummihammer und Plastikschraubenzieher entschärfen konnte. Doch ich behielt mein Wissen für mich.

Die Fluggesellschaft kümmerte sich rührend um uns: Wir bekamen reichlich Verpflegung und es gab sechs indische Klassiker hintereinander, fünf Liebesfilme und ein Drama. Klar, andere Streifen durften sie uns nicht zeigen. Auf allen Flughäfen der Welt und in allen Flugzeugen der Welt zeigt man ausschließlich indische Filme, denn die Niebieskis haben kurz nach ihrer Rückkehr die indische Filmindustrie übernommen. Manchmal denke ich, es wäre besser gewesen, sie hätten die albanischen Filmstudios an sich gerissen.

Während wir uns den sechsten Bollywood-Klassiker anschauten, jagte die Polizei unser Flugzeug in die Luft. Drei Sprengstoffspezialisten kamen dabei ums Leben. Es gab keine Kollateralschäden. Sie hatten das Bidet von der Wand geschraubt und versucht, es von Bord zu schaffen. Das war, wie sich siebenundzwanzig Sekunden später herausstellte, nicht die beste Lösung. Die Detonation war verhältnismäßig stark, wir konnten sie hören, obwohl wir in einem gegen Schall abgedichteten Raum saßen. Der Tod der drei Männer beeindruckte niemanden. Ihr Erbgut ruhte ohnehin eingefroren in einer Genbank und morgen oder übermorgen würde man in einem Labor in Barcelona drei neue Sprengstoffspezialisten klonen. So ist der Lauf der Asche.

Eine halbe Stunde später rollte ein Ersatzflugzeug vor und wir stiegen ein. Beim Start wurde ich ein wenig unruhig und musste an unsere Bomben denken, die wir in der Gartenkolonie »Rote Bete« hergestellt hatten. Ich genehmigte mir einen doppelten Krea-Drink, und kurz danach noch einen. Es funktionierte. Ziemlich schnell sah ich grüne Bäume fliegen. Es war ein angenehmes Bild und ich fragte mich, warum man nach der Einnahme des kreatonischen Quellwassers immer fliegende Bäume sah. Lag das vielleicht an Thujon, dem Gift des ätherischen Wermutöls, mit dem das Wasser versetzt wird?

Beim dritten Drink tauchte vor meinen Augen Freyja auf. Sie trug ein Kleid aus Kieferzweigen und lächelte wie einst der Frühling. Ich lächelte zurück. Unser Lächeln traf sich irgendwo über den Wolken, in den endlichen Weiten der Erdatmosphäre.

Ein indisches Lied tönte in meinen Ohren und ich dachte an Sex mit Freyja, versuchte aber nicht aufzustehen, um auf die Toilette zu gehen.

Mich wunderte, dass ich solch merkwürdige Sex-Gedanken hatte, obwohl Freyja nicht bei mir war. Ich schämte mich ein wenig, aber es war ein angenehmes Gefühl.

Die Bäume flogen direkt auf mich zu. Ich spürte keine Angst mehr. Auf einmal fühlte ich mich so stark wie eine Kuh vor der Venus. Eine neue Epoche ist angebrochen, sagte ich zu mir und lachte von ganzem Herzen. Alle Passagiere drehten sich um und schauten mich vorwurfsvoll an. Langsam streckte ich ihnen die Zunge heraus. Diese Geste verstanden sie nicht. Es waren Trandorianer auf ihrer alljährlichen Pilgerreise rund um die Welt, die sie in Menschengestalt unternehmen müssen, um sich bei ihrer Gottheit namens Tu 144, die als Düsenflugzeug dargestellt wird, anzubiedern. Wahrlich, manche Glaubensformen können einen in den Wahnsinn treiben. Und Trandorianer verstehen keinen Spaß, besonders wenn jemand eine Anspielung auf ihre langen Zungen macht, die sie in ihre Nasenlöcher stecken, wenn sie hungrig sind oder wenn sie das Geräusch des Luftstrahlentriebwerks nachahmen, was zu ihren heimlichen Hauptbeschäftigungen gehört und als offizielles Gebet der Sekte gilt.

Um den tadelnden Blicken der trandorianischen Schwestern und Brüder zu entkommen, verhüllte ich mein Gesicht mit einer Papiertüte und setzte einen Kopfhörer auf, damit mich ihr Zähnefletschen nicht erreichen konnte. Bis zur Landung wagte die Stewardess nicht mich anzusprechen. Dann aber wollte sie die Tüte zurückhaben. Ich gab sie ihr, und sie warf sie in den Müllsack. Singend verließ die Bruderschaft der Trandorianer das Flugzeug. Ich sang mit. Sie hatten nichts dagegen, weil ich ihnen gegenüber beim Aussteigen erwähnte, dass ich ihren Gott, den sowjetischen Flugzeugkonstrukteur Andrej Nikolajewitsch Tupolew, persönlich kennen gelernt hätte. Sie glaubten mir zwar nicht, waren aber sehr froh, einen interessierten Laien getroffen zu haben.

Gepriesen sei Tu 144!

> ## Ein Prosaist, ein guter Fang

Am Osloer Flughafen wollte man mir einen Rollstuhl zur Verfügung stellen, aber ich beschwerte mich, dass ich erst vor der vierten Erneuerung stünde, es also nicht nötig sei, mich wie einen Greis zu behandeln. Die Dame in Uniform errötete leicht, entschuldigte sich und gab mir einen Stadtplan. Bevor ich in ein Taxi stieg, warf ich ihn dem Plastikschlucker zum Fraß vor. Ich kannte Oslo von früher. Äußerlich hatte sich die Stadt kaum verändert. Die aus der neunzehnten und zwanzigsten Epoche des Nichtregenbogens stammende Architektur war erhalten geblieben, allerdings hatte man die Stadt unter die Erde verlegt; statt nach oben wurde in die Tiefe gebaut, was, zumindest in diesen geografischen Breiten, eher die Ausnahme ist. Aber die Norweger waren schon immer eigenartig, genauso wie ihr Land. Ich glaube, ich werde mich nie daran gewöhnen, sie neumodisch als Altskandinavier zu bezeichnen. In meinen Ohren klingt das, als wären sie schon vergammelt und röchen nach altem Käse. Das Gegenteil ist aber der Fall. Ihre Population hat sich in den letzten fünfzig Jahren dank der Auswanderer aus Sibirien und Nordafrika völlig erneuert, ihr Land riecht nach Frische. Kein Wunder, sie haben Unmengen von Frischluft zum Atmen. Dafür mussten viele Menschen ihr Leben opfern. Nur wenige Erdlinge wollen sich heute daran erinnern, und noch weniger können es. Gedächtnisverlust wurde einst als Krankheit angesehen, jetzt nennt man ihn die Gnade der Himmelblauen.

Pünktlich erreichte ich die Zentralkulturbehörde. Der zuständige Sachbearbeiter wartete schon in der Eingangshalle auf mich. Sein Name war Multer, Dr. Isak Multer, was mich an Multbeeren erinnerte. Ein höchst interessanter Nachname. Denn normalerweise ist es Staatsdienern nicht erlaubt, Namen aus der Botanikwelt zu verwenden. Vielleicht macht man da bei den skandinavischen Kulturbeamten eine Ausnahme.

Wir begrüßten uns, er schaltete seine Zeitung aus, steckte sie in die Tasche seines blauen Sakkos und wir gingen zu ihm in den Keller. Mit dem Aufzug wollte ich nicht fahren, ich sagte, ich bräuchte etwas Bewegung.

»Bin ich für euch wirklich so wichtig?«, fragte ich ihn unterwegs.

»Oh ja, Herr Gepin, Sie sind für uns ein Schnäppchen«, erwiderte Dr. Multer. »Es gibt wenige Menschen, die ihre

Erinnerungen bewahrt haben, und kaum jemanden, der sie auch noch aufschreiben will. Alle möchten verkabelt werden und ihre Gedanken direkt in den Computer übertragen. Dabei entsteht aber so viel Müll, dass wir die Aufzeichnungen nur nach gründlicher Überarbeitung publizieren können. Und das dauert manchmal Jahre. Außerdem arbeiten unsere Schreiber völlig mechanisch und die Kunst geht dabei leider verloren. Beim Trennen bleibt mehr Spreu als Weizen. Sie, Herr Gepin, Sie sind für uns vom Himmel gefallen, wenn ich das so formulieren darf. Und wir werden Sie in den Himmel zurückheben, das verspreche ich Ihnen. Sie werden reich und berühmt!«

»Ich bin mir nicht sicher, ob ich das wirklich will.«

»Alle, die schreiben, wollen das!«

»Vielleicht bin ich eine Ausnahme?«

»Dann machen wir aus Ihnen eine Regel.«

»Ich habe gehört, dass ihr dringend Dichter braucht.«

»Herr Gepin, sind Sie vielleicht ein Dichter?« Dr. Multer blieb stehen. Er schaute mich so ernsthaft und hoffnungsvoll an, dass ich mich fast schämte, seine Frage verneinen zu müssen.

»Schade. Aber das macht nichts«, sagte Dr. Multer breit lächelnd. »Ein Prosaist ist auch ein guter Fang.«

»Prosaist? Ich will doch nur meine Memoiren ...«

»Na, na, Herr Gepin, seien Sie bitte nicht so bescheiden.«

Wir setzten uns in sein Büro. Auf dem Tisch in der Ecke standen sogleich zwei Tassen Kaffee. Als Dr. Multer mir kurz darauf die zweite verbotene Droge anbot, wusste ich, dass alles gut laufen würde, weil ich es mit einem Menschen alten Schlages zu tun hatte.

Dann redeten wir über das Geschäftliche. Dr. Multer fragte mich, in welcher Sprache ich zu erzählen beabsichtige, worauf ich antwortete, ich würde immer noch auf Polnisch denken und träumen. Es sei meine erste Muttersprache, fügte ich nach einer Weile hinzu. Die zweite sei Altrussisch, aber die hätte ich schon vergessen. Am liebsten würde ich also meine Memoiren auf Polnisch verfassen. Damit war er nicht einverstanden. Grimmig saß er in seinem gelben Sessel und nippte am Kaffee. Eine solche Sprache gebe es als Schreibsprache nicht mehr, behauptete er schließlich. Ihre Grammatik sei zu kompliziert, deswegen habe man dafür keine Schreibprogramme entwickelt, die sie unterstützen könnten. Ich kannte solche Programme und protestierte deshalb lautstark. Dr. Multer blieb ungerührt.

»Und der Rauchmelder?«, gab ich zu bedenken, als er mir die Zigarette ansteckte.

»Ausgeschaltet«, erwiderte Dr. Multer, als ob das die einfachste Sache der Welt wäre.

»Sie müssen eine andere Sprache verwenden, Herr Gepin«, sagte er. »Wie wäre es zum Beispiel mit Rumänisch, Skandinavisch oder ... Deutsch? Ja, Deutsch klingt ausgezeichnet. Finden Sie nicht?«

»Herr Multer, ich will doch keine Gebrauchsanweisung schreiben.«

»Hat hier jemand irgendwelche Vorurteile gegenüber den Germanen und ihrer fabelhaften Sprache? Wenn ja, dann müsste ich das sofort melden.«

»Nein, natürlich nicht!« Ich setzte mich aufrecht. »Im Frühjahr wurde ich von der PC-Kommission in meiner Kommune auf Freundlichkeit gegenüber fremden Lebewesen geprüft und man stellte mir eine Bescheinigung aus, dass ich keine rassistischen Neigungen habe. Soll ich sie Ihnen zeigen?«

»Danke, das ist nicht nötig. Ich glaube Ihnen. Herr Gepin, ich sehe Sie mir an und denke, der gute Mann scheint vergessen zu haben, dass Deutsch einmal die Sprache der Helden und Propheten war. Robert Knoch sprach zum Beispiel Deutsch, und Jungfrau Rosa, unsere Ewig-Vierzigjährige, tat

das auch, bevor sie zu einer Göttin wurde. Das sollten Sie doch wissen! Besser als ich!«
»Alles schön und gut, aber was hat das mit mir zu tun?«, fragte ich verwirrt.
»Herr Gepin, mein lieber Herr Gepin, wollen Sie wirklich, dass ich Ihnen diese Frage beantworte?«
»Wie ich sehe, haben Sie Ihre Hausaufgaben gemacht«, sagte ich. »Was ist aber mit Anglos? Was ist mit unserer täglichen Sprache, die uns allen so heilig ist? Warum darf ich sie nicht verwenden?«
»Anglos können Sie sich abschminken«, sagte Dr. Multer. »Jeder, der die Tastatur einigermaßen bedienen kann, will in Anglos schreiben.«
Dann erklärte er, es gebe immer weniger Schreibende, die sich für die drei erwähnten Sprachen interessierten, was ihn persönlich sehr wundere, weil er diese Sprachen besonders schätze. Schließlich erläuterte er die Schwierigkeiten, falls ich mich für die ersten beiden Sprachen entscheiden würde. Für Rumänisch müsste ich fünf Jahre auf eine freie Erzählerwohnung warten, und für Skandinavisch sogar acht. Mit Deutsch wäre die Sache völlig unproblematisch, die Wohnung stehe leer und ich könne sofort einziehen.
Es war nicht schwer zu erraten, worauf er hinauswollte. Als ich ihm scherzhaft vorwarf, ein mieser Erpresser zu sein, lachte er nur. Auch mein Hinweis, Deutsch sei so gut wie ausgestorben, es gebe kaum Erdlinge, die dieser Sprache mächtig seien, und es würde sich für keinen denkenden Menschen oder Geklonten lohnen, die Sprache zu reanimieren, brachte Dr. Multer nicht aus dem Konzept. Er stimmte allem zu, was ich gesagt hatte, beharrte aber darauf, dass ich Deutsch verwenden solle.
»Die Niebieskis wollen nicht, dass diese Sprache von der Bildfläche verschwindet«, sagte er. »Das gehört zu ihrem Plan.«

Als ich ihm zu widersprechen versuchte, erklärte er noch, er wisse, es sei nicht immer so gewesen, aber man ändere häufig die Pläne. Die Himmelblauen seien wohl lernfähiger und großzügiger, als man nach der Landung behauptet habe. »In dieser Beziehung sind die Erdlinge viel traditioneller«, bemerkte ich trocken.

Eine Weile schwiegen wir. Danach drückte ich die Zigarette im Aschenbecher aus und sagte: »Ich könnte ja zu Hause schreiben. Dafür bräuchte ich keine Erzählerwohnung. Was sagen Sie dazu?«

Dr. Multer blickte mich verwundert an.

»Sie meinen das wirklich ernst?«, sagte er.

Ich nickte, und er begann zu lachen.

»Sie wissen doch, dass es nicht geht«, sagte er mit Nachdruck, als er sich beruhigt hatte. »Unsere Späher würden Sie im Nu lokalisieren und entsorgen. Es ist nicht erlaubt, in Mietshäusern Literatur zu betreiben. Dafür sind die Erzählerwohnungen bestimmt. Sie sind zu jung und zu klug, um entsorgt zu werden, das sage ich Ihnen als Freund. Außerdem denken Sie bitte auch an Ihre Frau. Wollen Sie sie wirklich verlieren?«

Ich bat um eine Zigarette, Dr. Multer wollte mir aber keine mehr geben.

»Ist Ihr Daumencomputer in der Lage, simultan zu übersetzen?«, fragte er.

»Nein. Es ist ein altes Modell.«

»Macht nichts. Ich habe hier ein uraltes Programm. Grammatik und Rechtschreibung sind schon drin, sogar ein kleines Synonymwörterbuch ist vorhanden.« Dr. Multer griff in die unterste Schublade seines Schreibtisches. »Das werden Sie brauchen«, sagte er und reichte mir ein Päckchen. »Denken Sie, wie Sie wollen: auf Anglos oder meinetwegen auf Polnisch. Doch schreiben dürfen Sie nur auf Deutsch. Ist das klar?«

»Ich habe mich noch gar nicht entschieden.«

Dr. Multer warf einen kurzen Blick auf seine Taschenuhr, die mit einer Kette am Westenknopfloch befestigt war, und sagte grinsend: »Ihre Zukunft, mein lieber Herr Gepin, wurde gerade geschrieben.«

»Wie denn?«

»Sie können nicht zurück. Ihre Wohnung wurde aufgelöst.«

Ich schwieg eine Weile, dann sagte ich: »Und was ist mit Freyja?« Es klang ein wenig dramatisch.

»Soviel ich weiß, fühlt sie sich recht wohl. Ich habe vor einer Stunde mit ihr telefoniert. Sie ist bereits unterwegs zur neuen Wohnung.«

»Und wo soll die sein?«

»Sie werden staunen, was wir für Sie vorbereitet haben.«

»Bekomme ich jetzt eine Zigarette?«

Er gab mir eine ganze Stange.

»Lassen Sie sich aber nicht erwischen«, sagte er. »Die Todesstrafe fürs Rauchen wurde zwar seit zehn Jahren nicht mehr verhängt, aber man weiß ja nie. Es wäre schade, wenn man gerade mit Ihnen wieder damit anfangen würde.«

Ich riss die Verpackung auf und verstaute die Zigarettenpäckchen im Geheimfach meiner Reisetasche.

Wir gingen essen. Dr. Multer bestellte Krabben und Hummer, dazu eine Flasche spanischen Branntwein. Alles künstlich, aber köstlich! Er wusste, wie man angehende Autoren verführt.

»Wir bleiben in Verbindung«, lallte er beim Abschied.

Ja, das werden wir wohl tun müssen, dachte ich, während ich das Flugzeug bestieg.

Kurze Zeit später betrachtete ich die Wolken von oben. Ich war der einzige Passagier. Vergeblich wartete ich auf eine Stewardess. Mit weit geöffneten Augen flog ich direkt in den Himmel.

› Sein Name war September

Dr. Multer hatte nicht gelogen. Beim Anblick des Anwesens, wo Freyja und ich die nächsten zwei Jahre verbringen sollten, wenn alles nach Plan laufen würde, war ich tatsächlich angenehm überrascht. Meine Augen wurden sogar feucht vor Rührung. Die Zentralkulturbehörde hatte keine Kosten gescheut, um nicht weit von Mo in Telemark, direkt am Byrtevatnet, einen kompletten Bauernhof aus der späten XVIII. Epoche des Nichtregenbogens zu rekonstruieren. Der ein pfeifendes Anglos sprechende Geklonte hatte ebenfalls die Wahrheit gesagt: Die Zitronenbäume standen voll in Blüte. Dass sie das in einem Gewächshaus taten, versteht sich von selbst. Südnorwegen ist noch nie ein gutes Stückchen Erde für den Zitronenanbau gewesen.

Der Kutscher, der mich von einem Miniflughafen in Fyresdal abgeholt und hierher gebracht hatte, bat mich, ihn mit dem Namen September anzusprechen. Das tat ich auch. Wie er wirklich hieß, erfuhr ich nicht, weil der Kragen seines schwarzen Mantels hochgestellt und sein Kopf mit einer Schiffermütze bedeckt war. Schon seit langem ist es wegen der intergalaktischen Political Correctness verboten, die Namensnummern direkt auf die Stirn zu tätowieren. Man tut das im unteren Bereich des Hinterkopfs.

September gab vor, über dreihundert Jahre alt und ein echter Mensch zu sein. Da ich ihn nicht verletzen wollte, hatte ich ihm zu verstehen gegeben, dass ich seine Geschichte glauben würde. Manche Geklonte können die virtuelle Realität nicht von der Literatur unterscheiden. Und das macht sie so menschlich.

Nachdem die Kutsche bei einem sogenannten Loft, einem eingeschossigen Laubenspeicher mit kahlen Holzwänden, der auf Pfählen stand, vorgefahren war, erschien Freyja auf der Galerie. Sie glühte förmlich vor Freude, als sie, gekleidet in eine Telemark-Volkstracht, die wie ein Fichtenwald rauschte, die Treppe hinunterstieg. Nach einer langen Umarmung drehten wir gemeinsam eine Runde um den Hof. Freyja zeigte mir stolz das Anwesen, als hätte sie es selbst hervorgezaubert.

»Davon habe ich schon immer geträumt, schon immer geträumt«, wiederholte sie dauernd, während sie meine Hand fest drückte.

Dann führte sie mich in den Viehstall und sagte: »Siehst du die Ziegen? Siehst du sie? Gerade habe ich sie nach Hause gebracht und eingeschlossen. Putzige Tiere, nicht wahr?«

Zustimmend nickte ich und gab Freyja einen sachten Kuss auf die Wange. Für die Wahrheit war es noch zu früh. Ich wollte ihre Träume nicht zerstören, zumindest nicht in diesem Moment. Deswegen brachte ich es nicht über die Lippen, ihr zu sagen, dass ich keine einzige Ziege sah. Vor uns auf dem Stallboden taumelten nur weiß-grau-braune Fetzen zerstreuter Materie, die erst im Auge des Betrachters ein Bild hervorrufen sollten. In diesem Fall das Bild einer Ziegenherde. Es war aber eine optische Täuschung. Ähnlich wie bei den Impressionisten. Nur diesmal handelte es sich um ein dreidimensionales Bild. Die Niebieskis haben uns diese Technologie beschert. Sie haben viele Neuigkeiten mitgebracht. Manchmal denke ich: zu viele. Das Multiversum ist voll gestopft mit unnützen Ideen. Ob die Erschaffung der virtuellen Ziegenherde zum Großen Plan gehört, möchte ich bezweifeln.

Nach unserem Rundgang schickte ich den Kutscher weg. Er sagte, er komme in einer Woche wieder, um nach dem Rechten zu sehen. Die Pferde wieherten und griffen aus. September zog die Zügel straff und manövrierte mit Geschick den Wagen aus dem Hof. Am Feldweg angelangt, ließ er die Zügel schießen. Die Pferde wussten, was zu tun war.

Wir wussten es allerdings nicht. Regungslos standen wir eine Weile draußen. Dann gingen wir, wie ferngesteuert, in den Gemeinschaftsraum.

Am Abend gönnten wir uns eine ordentliche Portion Blaucrack. Ein starkes Zeug! Wir taten das auf die alte Art und Weise: durch den Mund. Von der neumodischen Methode, sich das Rauschgift in den Anus zu stecken, halte ich nicht viel. Das ist für mich zu umständlich, und außerdem muss man sich hinterher auf gleichem Wege eine Kapsel Vitamin C und B1959 verabreichen, um einer Schließmuskelschwäche vorzubeugen. Zugegeben, die Wirkung tritt bei der Anusmethode schneller ein und der Trip dauert länger. Doch würde ich selbst für die besten Visionen des Multiversums nie die Hose herunterlassen.

Bis spät in die Nacht hinein sangen wir unsere alten Lieder.

❯ Wir brauchen eine neue Sonne

»Wo warst du so lange?«, fragte Freya am nächsten Tag kurz nach dem Aufwachen. »Eine Woche habe ich auf dich gewartet und mir große Sorgen gemacht. Du darfst mich nicht so lange alleine lassen.«

Wir befanden uns im Alkoven. Das Bett war kaum größer als ein Sarg für einen Liliputaner vom Mars und die ganze Nacht hatte ich in der Position eines halb aufgeklappten Taschenmessers verbracht, mal das Kinn, mal die Wangen auf die Knie gestützt.

Da ich nur wenig geschlafen hatte, war ich gereizt und sagte deshalb Freyja die Wahrheit. Zuerst glaubte sie mir nicht und meinte, ich würde scherzen. Als ich ihr aber klarmachte, dass wir uns nur zwei Tage nicht gesehen hatten, verzog sie schmollend den Mund und wurde betrübt.

»Meinst du, jemand manipuliert die Zeit?«, fragte sie.

»Die haben das schon immer gemacht. Hast du das vergessen? Sie sind doch Götter, falsche Götter!«

»Aber warum machen sie das?«

»Was ist los mit dir? Weißt du das nicht mehr? Sie spielen mit uns um des Spielens willen. Wie immer.«

Dann gab es Frühstück.

»Weißt du«, sagte Freyja, während sie dick Gänseschmalz aufs Brot strich, »ich glaube, wir sind zum letzten Mal hier. Ich meine, hier auf der Erde. Menschen, die den ewigen Kreislauf der Wiedergeburt vollendet haben, schickt man nach Norwegen, als eine Art Belohnung für das, was sie in den Tausenden von Jahren für die Erde geleistet haben. Hier ist alles ursprünglich, Anfang und Ende zugleich. Und der Himmel. Ja, der Himmel! Hast du es bemerkt? Er hängt hier tiefer als anderswo. Er ist ganz nahe. Mir scheint, es reicht, die Hand auszustrecken, und schon bist du drin. Du bist nicht mehr auf der Erde, sondern im Himmel. Eine merkwürdige Konstellation. Findest du nicht?«

»Es muss wohl so sein«, sagte ich und küsste Freyja auf den Hals.

»Hast du schon gehört?«, fragte Freyja, nachdem ich das Geschirr in der Spülmaschine verstaut hatte.

»Was denn, mein vierblättriges Kleeblättchen?«

»Die Himmelblauen wollen die Sonne klonen. Ich habe es gestern erfahren.«

»Ach du heiliger Strohsack! Das hat uns gerade noch gefehlt! Wann?«

»Schon bald, vielleicht Anfang nächsten Jahres. Aber zuerst wollen sie sich an der Erde vergreifen.«

»Von mir aus. Am besten sollten sie gleich das ganze Multiversum klonen! Mit zwei Unendlichkeiten gibt es genauso viele Probleme wie mit einer, nämlich unendlich viele.«

»Die Idee ist aber nicht verkehrt.«

»Wie meinst du das? Willst du, dass die schon wieder anfangen herumzupfuschen?«

»Ich weiß nicht. Unsere Sonne ist alt, sehr alt. Und wir brauchen eine neue Sonne.«

»Und die neue Erde? Brauchen wir die auch?«

»Wir nicht. Aber die, die nach uns kommen.«

»Das werden jedoch keine Menschen sein.«

»Das stört mich nicht. Das Leben muss weitergehen, so oder so. Und es spielt keine Rolle, ob es sich um Mischlinge, rein biologische oder rein virtuelle Formen handelt.«

Ich schaute sie lange an und sagte: »Du weißt also, was mit uns los ist?«

Freya lächelte schwach und nickte mit dem Kopf.

»Geh schon, mein liebstes Schwänzchen«, sagte sie. »Ich werde mich inzwischen um unsere Ziegen kümmern. Sie brauchen Wasser.«

Ich ging in meine Stube, wo ich versuchte, in die Rolle des Schriftstellers zu schlüpfen. Es war grauenvoll. Und es tat richtig weh. So sollte es auch sein, so sollte es sein, hörte ich im Kopf die Stimme von Dr. Multer. Es war unmöglich, sie abzuschalten.

Als ich in meine Reisetasche griff, wo ich die Zigarettenstange von Dr. Multer verstaut hatte, fand ich nichts. Keine Zigaretten, nicht einen Tabakkrümel! Was für ein mieser Trick! Multer, wenn ich dich erwische, dann reiße ich dir die Beine aus dem Allerwertesten!

› Elf Versuchskaninchen

Mein Vater war der vierte erste Kosmonaut. Die Regierungsstellen hatten damals, im Jahre 1960 alter Zeitrechnung, seinen Namen offiziell nicht preisgegeben. Er tauchte nirgendwo auf, weder in Enzyklopädien oder in Lexika noch später im Internet. Auf der Homepage Gottes und im Kosmonet wird man ihn ebenfalls vergeblich suchen, worauf ich an dieser Stelle hinweisen muss, um eventuellen Missdeutungen vorzubeugen. Doch ich weiß, wie mein Vater hieß und wer er wirklich war, als er sich auf den Weg zu den Sternen machte. Natalia Filipowna Gepin, meine heilige Mutter, hat es mir gesagt. Sie hat mir auch die Wahrheit über ihn und über die zehn übrigen ersten Kosmonauten erzählt. Woher sie das alles so genau wusste, kann ich nicht sagen, aber sie war zu allem bereit, wenn es darum ging, die Wahrheit herauszufinden. Sie war nämlich Wissenschaftlerin. Lügen verabscheute sie mehr als Sauerampfersuppe, und die hasste sie von ganzem Herzen. Ich dagegen liebe bis heute Sauerampfersuppe, obwohl sie mir schlecht bekommt und es auf der Erde keinen echten Sauerampfer mehr gibt. Doch, man kann ihn einfliegen lassen. Anderswo gibt es noch frisches Obst und Gemüse, all das, was wir, die sich erinnern können, so begehrenswert finden.

Laut Angaben von Natalia wurde der erste Mensch 1957 ins All befördert. Sein Name war Ledowski, und er kehrte nach einem suborbitalen Flug nicht auf die Erde zurück. Natalia erinnerte sich mit Rührung an seine blauen Augen und an seine weichen, stets warmen Hände. Sie mochte es jedoch nicht, dass er seine vornehme Abstammung allzu häufig betonte. »Ein moldauischer Krautjunker, dazu keineswegs von adeliger Geburt, sondern durch Heirat in den Adelsstand erhoben!« Sie vermisste ihn sehr. Drei Monate lang.

Im gleichen Jahr wurde Pilot Schaborin, ein wahrer russischer Bär aus einem Dorf in Nordsibirien, auf die Reise geschickt. 1959 folgte ihm Pilot Mitkow, ein schmächtiger Bursche, der vor die Wahl gestellt wurde: Entweder steigst du jetzt in die Rakete oder du gehst ins Arbeitslager zurück, wo du verrecken wirst. Mitkow, der übrigens jüdischer Abstammung war, traf die richtige Entscheidung und wurde ähnlich wie seine Vorgänger von den Niebieskis abgefangen. Er blieb für ewig und immer oben.

Das vierte Versuchskaninchen war Ruslan Ludminski, mein Vater. Den fünften, Piotr Dolganow, wollte man im September 1960 auf die Reise schicken. Doch die Niebieskis ließen seine Trägerrakete auf der Startrampe explodieren. Am 4. Februar 1961 wurden gleich drei Kosmonauten hingerichtet: Bielkoniew, Katschur und Gratschow. Was für eine Verschwendung!

Am grausamsten setzten die Niebieskis Walentin Bondarenko zu. Sie ließen ihn wortwörtlich durch die Hölle auf Erden wandeln. Im Rahmen seiner Ausbildung verbrachte er im März 1961 zehn Tage in einer Isolationszelle, die man in einem unterirdischen Bunker des Kosmonautenausbildungszentrums vierzig Kilometer nordöstlich von Moskau aufgebaut hatte. Die Luft in der Zelle war mit Sauerstoff angereichert, er war verkabelt und sollte fortwährend unter wissenschaftlicher Aufsicht bleiben. Bis zum letzten Tag des Experiments traten keinerlei Probleme auf. Dann aber, als Bondarenko einige Sensoren von seinem Körper entfernt hatte, unterlief ihm ein verhängnisvoller Fehler: Er warf den mit Spiritus getränkten Tupfer achtlos fort und der Wattebausch landete auf einer heißen Elektroheizplatte. Dort entzündete er sich sofort und die Flammen breiteten sich im Nu aus. Über eine halbe Stunde verging, bis es den in Panik geratenen Wissenschaftlern gelang, die Einstiegsluke zu entriegeln, das Feuer zu löschen und Bondarenko aus der Zelle herauszuholen. Er lebte noch, aber seine Haut war fast völlig verbrannt. Sechzehn Stunden später, am 23. März 1961, erlag der 24-jährige Kosmonaut aus Charkow seinen schweren Verbrennungen. Er hinterließ Frau und Kind.

An dem Tag, als sich der Unfall ereignete, wurde am Himmel über dem Kosmonautenausbildungszentrum ein unbekanntes Flugobjekt gesichtet. Dem maß man aber keine besondere Bedeutung bei.

Wladimir Iljuschin, der zehnte erste Kosmonaut, hatte sehr viel Glück im Unglück. Die Niebieskis ließen ihn problemlos starten und ebenso problemlos drei Mal die Erde umkreisen. Dann aber war Schluss mit ihrer Großzügigkeit. Die Wostok-Kapsel wurde abgewiesen und gezwungen, nahe Shin-Ku, einem Dorf in China, notzulanden. Ein Ochsengespann des Gemeindevorstehers brachte den schwer verwundeten Weltraumfahrer ins Krankenhaus, wo er mehrere Wochen in Quarantäne festgehalten wurde, bis die Chinesen und die Russen eine für beide Seiten akzeptable Lösung gefunden hatten: Die Kapsel blieb in China, Iljuschin dagegen fuhr mit einem verdunkelten Sonderzug zurück in die Sowjetunion. An der russisch-chinesischen Grenze wurde er von seinen Landsleuten in Empfang genommen und an einen sicheren Ort gebracht, wo er viel Zeit zum Nachdenken hatte. Die Tundra ist ein weites Land, und ein redescheues.

Der elfte erste Kosmonaut hieß Jurij Aleksejewitsch Gagarin. Er war der Sohn eines Zimmermanns und einer strenggläubigen Hausfrau, die heimlich der russisch-orthodoxen Kirche angehörte, was für die Geschichte nicht ganz ohne Bedeutung ist. Diesen Burschen kennt jeder Geklonte und jeder Runderneuerte, weil er heutzutage als einer der größten Versager in der Menschheitsgeschichte gilt. Mit Recht. In der vorigen Epoche, am 12. April 1961, wurde Gagarin in der Wostok-Raumkapsel ins All geschickt. Der Start erfolgte vom Weltraumbahnhof in Tjura Tam. Da die Sowjets, wie man die damaligen Herrscher über Rossija bezeichnete, diesen Startplatz geheim halten wollten, gaben sie den kleinen Ort Baikonour an. In Wirklichkeit lag Baikonour etwa zweihundertsiebzig Kilometer nördlich von Tjura Tam. Um auf Nummer sicher zu gehen und um menschliches Versagen auszuschließen, sollte Gagarins Reise vollautomatisch ablaufen. Nur im Notfall sollte er eingreifen und das Raumschiff von Hand steuern. Damit der elfte erste Kosmonaut nicht unbeabsichtigt die Handsteuerung aktivierte, war diese durch einen Zahlencode gesichert. Er bestand aus drei Ziffern und war nur dem Generalkonstrukteur Sergej Koroljow und der politischen Führung der Sowjetunion bekannt. Alles lief wie geschmiert. Die Kapsel mit Gagarin an Bord umkreiste auf einer Ellipsenbahn in einer Höhe zwischen einhunderteinundachtzig und dreihundertsiebenundzwanzig Kilometern einmal die Erde und erreichte dabei eine Geschwindigkeit von siebenundzwanzigtausendvierhundert Kilometern pro Stunde. Aus heutiger Sicht eine lächerliche Leistung. Der Flug dauerte einhundertacht Minuten. In etwa siebentausend Metern Höhe wurde Gagarin aus der Kapsel herauskatapultiert und landete am Fallschirm wohlbehalten nahe des Dorfes Smelowka. Diesen fragwürdigen Erfolg wollte man der Menschheit nicht vorenthalten.

Nach seiner Rückkehr wurde Gagarin zum Frauen- und Welthelden, wie es in einem Dokumentarfilm hieß, den ich im letzten Herbst mit Freyja gesehen habe. Alle waren verrückt nach ihm. Überdies bekam er ein paar Kilo Orden, was eine Art Anerkennung ausdrücken sollte. Eines Tages hat ihn das umgehauen.

Manche Historiker behaupteten, Gagarin sei sieben Jahre später auf Geheiß des Kremls, wie der Hauptsitz der Sowjetmacht damals hieß, ermordet worden, weil er am Kommunismus, einer orthodoxen Glaubensrichtung, die den Menschen das Paradies auf Erden versprach, gerüttelt habe. In seiner MiG-15 habe man eine Zeitbombe platziert, die während eines Testfluges im März 1968 hochgegangen sei. Andere meinten, er wurde einfach abgeschossen, weil er zu viel wusste und sich entschlossen hatte zu reden. Sogar Berichte von einer Entführung durch Außerirdische machten die Runde.

Gagarin hatte keine Ahnung, was vor sich ging, er wusste gar nichts. Er war nur ein Dummy, ein Sandsack in menschlicher Form, der sprechen konnte, aber nur Russisch. Natalia, meine heilige Mutter, kannte Gagarin persönlich und hatte mit eigenen Augen gesehen, wie ihm die Weibergeschichten und all die Abzeichen zu Kopf stiegen. Und dann hat er getrunken. Viel zu viel.

In jener denkwürdigen Nacht, als Gagarin von der Oberfläche verschwand, befand sich Natalia mit ihm in einem Hotelzimmer. Warum die beiden sich dort getroffen hatten und was sie da genau machten, weiß ich nicht, aber mit meiner Vermutung, dass sie ein Liebespaar waren und höchstwahrscheinlich einen Beischlaf ausübten, liege ich bestimmt nicht falsch. Sie wurden dabei von der Ehefrau des Kosmonauten überrascht, und Gagarin wollte sich der Verantwortung mit einem Sprung vom Balkon entziehen. Das ist ihm durchaus gelungen. Doch der freie Fall aus dem sechsten Stock ist eine heikle Sache, auch für einen Mann, der schon im All war und ein bisschen die Unendlichkeit erforscht hatte. Vermutlich brach er sich dabei den Hals, seine Leiche wurde nie gefunden.

Natalia schwor, dass Gagarin später von vielen vertrauenswürdigen Leuten gesehen wurde, zum Beispiel als Krankenpfleger in Novosibirsk, als Taxifahrer in Prag, als Jesuitenpater in Bangladesch und als Nachrichtensprecher im jugoslawischen Fernsehen. Ich glaubte ihr nicht.

So weit hat es Ruslan Ludminski, mein irdischer Vater, nicht gebracht. Er hatte keine Gelegenheit dazu. Und er war in jeder Hinsicht bescheidener. Vielleicht, weil er Kalmücke war. Außer einigen Forschern und einer Kuhherde, die in der Nähe der Startrampe in Kapustin Jar weidete, wusste niemand, dass er nach oben geschickt wurde. Damals hielt man es für unangebracht, die Erdlinge über die Versuche zu informieren. Seine Wostok, was übrigens auf Altrussisch Osten bedeutet, wie mein Übersetzungsprogramm erklärt, schoss in unbekannte Höhen. Ein unvorhersehbarer Sonnensturm warf ihn aus der Erdenbahn und beförderte ihn in die dunkle Ewigkeit. All das hat sich am 9. Mai 1960 abgespielt. Der Morgen war schön und ruhig, erzählte mir Natalia, keine Wolken huschten über den blauen Himmel. Noch am gleichen Tag hatten die Sowjets Ruslan Ludminski abgeschrieben und aus der Verpflegungsliste gestrichen. Doch sie handelten voreilig. Natalia wusste, dass er weder seine Arsenkapsel zerbissen noch sich eine Kugel durch den Kopf gejagt hatte, wie es für solche Fälle vorgeschrieben war. So etwas hätte er nie im Leben getan, betonte sie, weil er genau wusste, dass sie schwanger war und er sich so auf das Kind freute. Zwei Tage vor dem Wostok-Start habe er mit ihr zum letzten Mal den Geschlechtsakt vollzogen, schrieb sie in ihren unveröffentlichten Memoiren.

Mitte Dezember kam ich zwei Monate zu früh zur Welt, während mein Vater nach wie vor im grenzenlosen All weilte. Natalia konnte mit ihm leider keinen Kontakt aufnehmen, aber sie war sich sicher, dass er sie beobachtete und dass er stolz auf sie und auf seinen kleinen Sohn war.

Heute wissen wir, dass Gagarin in Wirklichkeit abgewiesen wurde. Er hat nicht gewonnen, sondern verloren. Die Niebieskis haben Gagarin auf die Erde zurückgeschickt, um den Menschen zu zeigen, dass sie ihn nicht bei sich haben wollten und dass die Menschen sich besinnen und keine Kosmonauten mehr ins All schicken sollten. Es war ein klares und deutliches Zeichen für die Erdenkinder, sich statt nach außen nach innen zu orientieren. Das haben die Menschen allerdings nicht richtig verstanden und sie machten weiter, so dass sich die Missverständnisse wie Sternschnuppen am sommerlichen Himmel häuften. Schließlich mussten die

Himmelblauen deutlicher werden, und sie taten das, was ihren eigentlichen Plänen widersprach und was sie nie beabsichtigt hatten: Sie fielen vom Himmel, zeigten sich in ihrer unverfälschten Gestalt und schafften Ordnung. Es tat weh. Doch es musste sein. In mancher Hinsicht aber gingen sie zu weit. Nicht alle Menschen sind zum Beispiel mit dem ewigen Leben einverstanden. Aber Nörgler hat es bei uns schon immer gegeben.

Wie schon erwähnt, war Ruslan Ludminski Kalmücke. Jetzt stammt jeder fünfte Astronaut von diesem mutigen westmongolischen Volk ab, doch damals war mein Vater eher eine Ausnahme. Er schämte sich seiner Volkszugehörigkeit so sehr, dass er sie immer verheimlichte. Dafür hatte er seine Gründe. Kalmücke bedeutet auf Alttürkisch Zurückgebliebener, und bei vielen Völkern, besonders bei den Slawen und Ostgermanen, galt diese Bezeichnung damals als Schimpfwort oder Beleidigung. Sogar die meisten Akademiker waren der Meinung, dass Kalmücken Kalmücken hießen, weil sie in ihrer geistigen Entwicklung zurückgeblieben seien. Eine weitere Erklärung lautete: Die Kalmücken seien an der unteren Wolga zurückgeblieben, als die mongolischen Stämme sich in ihr Ursprungsgebiet zurückzogen. Alles albernes Geschwätz.

Die Kalmücken erhielten ihren Namen von den Himmelblauen. Nach einer Stippvisite vor zwölftausend Jahren ließen die Himmelblauen ein Forschungsteam auf der Erde zurück, das nie abgeholt werden konnte, weil der Kontakt wegen der andauernden interplanetaren Kriege für sehr lange Zeit unterbrochen wurde. Die blauen Wissenschaftler waren also auf sich selbst gestellt. Bald stießen sie auf Mongolen, Vollnomaden, die in Jurten wohnten, und nahmen ihre körperliche Gestalt an, um sich besser an das Klima anzupassen. Zuerst paarten sie sich nicht mit ihnen, weil das gegen ihre Prinzipien und ihre Fortpflanzungsmethode verstoßen hätte. Aber dann, nachdem ihre Vorräte aufgebraucht waren und sie das irdische Essen gekostet hatten, taten sie es doch. Und sie fanden die mongolischen Frauen und Männer äußerst anziehend. Sie nannten sich Kalmücken, die Zurückgebliebenen, und sie glaubten, eines Tages würde Feuer vom Himmel fallen, das sie nach Hause zurückbringen würde. Sie mussten sehr lange darauf warten, und die meisten von ihnen waren richtige Erdenkinder geworden, die vergessen hatten, wo ihre wirkliche Heimat lag: im grenzenlosen All, auf Niebo, dem Planeten der Niebieskis.

Natalia war bis zu ihrem letzten Atemzug überzeugt, dass Ruslan Ludminski Pole gewesen sei, ein Nachkomme eines vom Zaren nach Sibirien verbannten Aufständischen. Dass er direkt von den Himmelblauen abstammte, das wäre ihr nicht mal im Traum eingefallen. Sie selbst war Polin.

Ob Natalia mit allen elf ersten Kosmonauten geschlafen hat, wie sie in ihren Memoiren behauptet, möchte ich stark bezweifeln. Schon aus technischen Gründen wäre das unmöglich gewesen. Sie hat das Blaue vom Himmel heruntergelogen, was dieser Redewendung angesichts der gegenwärtigen Anwesenheit der Himmelblauen auf der Erde eine besondere Bedeutung verleiht.

〉 Robinien sind nutzlos

Zum ersten Mal ist mein Vater am 1. September im Jahre des Vierten Violetts zu mir gekommen. Immer wenn ich auf seinen damaligen Besuch zu sprechen komme, huscht ein Lächeln um Freyas Lippen und sie behauptet ironisch, der krummbeinige Ruslan Ludminski, der größte kalmückische Witz und Wicht im und gegen das Multiversum, sei damals verkleidet gewesen und habe eine schicke Nebelkappe getragen, die ihn für alle Außenstehenden völlig unsichtbar gemacht habe. Ich dagegen bin der Meinung, er habe bloß einen Schutzanzug getragen, wie es sich für einen aus dem Weltall gehört, der die Erde inkognito besucht.

Manchmal gehen mir Freyjas Sticheleien wirklich auf die Nerven.

Am besagten Tag vor vierundachtzig Jahren hatte ich gerade einen Zwetschgenkuchen in den Ofen geschoben und wollte auf mein Zimmer gehen, um eine Zigarette zu rauchen, als es an der Tür klingelte. Ich schaute durch den Spion und bemerkte einen kleinwüchsigen Mann in hellblauem Sakko und grüner Hose mit einem Staubsauger in der Hand. Ich öffnete und sagte ein wenig mürrisch, wir hätten schon einen, der wohl imstande sein sollte, zwei Generationen zu überleben. »Ich danke Ihnen, dass sie vorbeigeschaut haben, aber ich habe zu tun«, fügte ich hinzu.

Der Mann hob den Kopf, lächelte melancholisch und sagte, dass man sich für wichtige Dinge Zeit nehmen solle. Dann fragte er, ob er hereinkommen dürfe. In dem Moment erkannte ich ihn. Sein Porträt hing in Natalias Schlafzimmer gleich neben dem Frisiertisch, und ich hatte oft in seine Augen geschaut.

Er sagte, er hieße Nathaniel Ost, käme von der Firma »Staubsauger forever« und hätte mir etwas Wichtiges mitzuteilen. Ich fragte, ob wir auf mein Zimmer gehen könnten, weil meine Frau nicht erlaube, dass ich im Flur rauche.

Er war damit einverstanden und sogleich befanden wir uns in meinem Zimmer. Das hätte mich bereits nachdenklich machen sollen, denn normalerweise brauche ich ein paar Sekunden, um die Strecke zu bewältigen. Er setzte sich auf das Sofa und beobachtete aufmerksam, wie ich mir eine Zigarette anzündete. Dann schaute er eine Weile durchs Fenster.

»Was sind das für Bäume?«, fragte er.

»Robinien. Auch falsche Akazien genannt.«
»Und wo sind die richtigen?«
»Immer noch ausschließlich in Afrika.«
»Da war ich leider nie. Es hat sich einfach nicht ergeben. Robinien ... « Er ließ das Wort auf der Zunge zergehen. »Sie sind so zerbrechlich. Und ihre Blätter, sind sie immer grün?«
»Nein, nur ungefähr sechs Monate im Jahr. Dann verlieren sie ihre Blätter und warten auf die nächsten. Ende November werden sie wieder so weit sein: blattlos und stumpf.«
»Kann man es nicht so machen, dass sie immerzu grün bleiben?«
»Wozu, wenn ich fragen darf?«
»Sie sind so schön, man sollte sie immer bewundern können. Arbeitet man daran?«
»Woran?«
»Mutationen.«
»Nein, Robinien sind nutzlos, deswegen hat man sie bisher in Ruhe gelassen. Sie werden nicht genetisch verändert.«
»Schade.«
»Du wolltest mir etwas sagen.«
»Ja.« Er richtete sich auf. »Ich möchte dir eine Adresse geben, eine sehr wichtige und nützliche Adresse. Gehst du oft ins Internet?«
»Ab und zu.«
»Und was schaust du dir da an, außer selbstverständlich nackten Weibern?«
»Das mache ich nicht. Freyja reicht mir für alle Frauen der Welt.«
»Braver Junge! Doch irgendwie verklemmt. Manche dieser Frauen können auf einen Mann wirklich inspirierend wirken. Ab jetzt wirst du das regelmäßig machen.«
»Was? Pornoseiten besuchen?«
»Quatsch, ins Internet gehen. Hast du was zum Schreiben?«

Ich gab ihm einen Kugelschreiber und ein Blatt Papier. In Gedankenschnelle schrieb er eine Internetadresse auf. Sie war recht lang.

»Hast du schon mal etwas von Gottes Homepage gehört?«

Ich verneinte. Er öffnete den Mund, um weiterzusprechen, löste sich aber plötzlich in Luft auf, so, als ob jemand bei ihm den Stecker gezogen hätte. Ich hörte Freyja nach Hause kommen. Es war keine Sinnestäuschung. Sie öffnete die Eingangstür zu unserer Wohnung. Mit ihrem völlig realen Schlüssel. Das Blatt, das mein Vater noch vor kurzem in der Hand gehalten hatte, fiel langsam auf den Fußboden. Ich hob es auf.

❯ Wetterfische und Sandalentierchen

Zu jener Zeit hielt sich Freyja fünf Tage in der Woche von neun bis achtzehn Uhr außerhalb des Hauses auf. Man nannte das: zur Arbeit gehen oder malochen. Sie arbeitete als Steuerfachgehilfin und bekam für ihre Anstrengungen den Lohn in Form einer bestimmten Menge Geld, die immer am Ende des Monats auf ihr Girokonto bei einer Bank überwiesen wurde. So machte man das damals, umständlich und menschenunwürdig.

Heute gibt es bei uns keine Arbeit mehr, außer selbstverständlich jener Arbeit, die unsere und fremde Sklaven verrichten. Nur sie bekommen noch für ihre erbrachten Leistungen Lohn. Das ist auch der Grund, warum man sie nicht mag und oft in den Medien verspottet. Kein anderer Geklonter, kein Mensch arbeitet, sondern spielt lediglich eine Rolle in der Gesellschaft und bekommt dafür alles, was ihm zusteht. Wenn er seine Rolle schlecht spielt, wird er ausgewechselt und entsorgt.

Es gibt verschiedene Rollen in unserer Simulation, die wir das Leben nennen, zu besetzen. Zu den begehrtesten gehören: die Rolle des Blausaftlieferanten, die Rolle des Schönheitschirurgen und die Rolle des Gärtners. Auf diese letzte bin ich seit Jahrzehnten besonders scharf. Doch habe ich keine Chance, sie je zugewiesen zu bekommen. Die Behörden wissen schließlich genau, was ich angerichtet hatte, als ich einmal in der Gartenkolonie »Rote Bete« die Pflanzen betreuen durfte. So etwas wird einem von Vater Staat nie verziehen, egal welche Staatsform gerade herrscht. Und es würde mir überhaupt nicht helfen, mich zur Wehr zu setzen und zu behaupten, mein Fehltritt hätte sich doch vor beinahe einem Jahrhundert ereignet.

»Einmal ungehorsam, immer ungehorsam«, schrieb mir ein Beamter, als ich mich um die Rolle des Gärtners beworben hatte. »Solche Leute wie Sie, Herr Gepin, würde ich am liebsten persönlich in die Erde pflanzen. Mit dem Kopf nach unten, versteht sich.« Die Behördensprache ist seit meiner Jugend viel klarer und bürgernäher geworden, das verdanken wir den Himmelblauen. Doch von ihrer Perversität hat sie seitdem nur wenig verloren. Immer noch zittere ich und bekomme Hautausschlag, wenn ich elektronische Post vom Staat kriege.

Übrigens, aus für mich und Freyja unerklärlichen Gründen ist die Rolle der Leihmutter die unbeliebteste von allen. Sowohl Männer wie auch Frauen wollen keine Kinder mehr austragen. Das liegt wohl daran, dass es sich dabei um geklonte Embryonen handelt, die maschinell in die Menschenkörper eingepflanzt werden. Es wäre ratsam, die alte gute Methode wieder zuzulassen, den Beischlaf. Meiner Einschätzung nach brauchen moderne Menschen einen Kick, um sich als Leihmutter zur Verfügung zu stellen. Sklaven, die seit einiger Zeit verstärkt als Leihmütter fungieren, tragen gerne Klonkinder aus. Für Geld würden sie sogar

Elefanten austragen, denke ich. Oder den eigenen Urgroßvater, was manchmal tatsächlich passiert. Freyja war also Steuerfachgehilfin und ich bestritt meinen Unterhalt als Wetterprophet. Es war eine angenehme Tätigkeit, für die man damals keine besonderen Vorkenntnisse und keine Ausbildung brauchte. Man musste jedoch wetterfühlig sein, und zwar mächtig. Diese Voraussetzung erfüllte ich. Schon mit Einsetzen der Pubertät hatte sich in meinem Kopf eine fast einwandfrei funktionierende Wetterstation aufgebaut und kein Arzt konnte sie ausschalten. Jetzt sind Wetterpropheten höchst gelehrte Menschen oder Geklonte. Ob man aber wirklich zehn Jahre Uni, einen Abschluss in Mathematik und Biologie und einen Doktortitel braucht, um dann mit einem Mikrosender herumlaufen zu dürfen, erscheint mir äußerst fraglich. Dazu kommt noch eine Sache, deren Erwähnung mir wichtig ist: Die Himmelblauen sind imstande, das Wetter zu beeinflussen. Das ist keine große Kunst. Jeder halbgebildete Programmierer wäre fähig, so etwas zu tun. Man bräuchte dazu nur Zugang zu den Blaugroßrechnern. Die Himmelblauen hüten aber ihre Big-Computer vor den Erdlingen. Angesichts der Wettermanipulationen ist also das Herumlaufen mit eingepflanzten Chips Schwachsinn. Man kann heutzutage das Wetter nicht voraussehen, weil es gar kein Zufall mehr ist, wenn es regnet oder schneit. Das ist alles geplant.

Früher, in alten Zeiten hatte das Wetterprophetendasein einen Sinn, auch wenn es durch die Militärexperimente der Sowjets, der Amerikaner, der Chinesen und später der EU-Länder getrübt wurde. Ich meine all die Grausamkeiten, über die ausführlich auf Gottes Homepage berichtet wird, und insbesondere den missglückten, heimtückischen Versuch, Wetter zu manipulieren, Regenpulver aus Aluminiumpulver und Bariumsalzen herzustellen und einen Schutzschild für die Ozonschicht und gegen Außerirdische zu bauen. Dabei wurden so viele Erdlinge vergiftet, krank gemacht und einfach ermordet, dass sich bis heute das zivilisierte Multiversum über die Vorgehensweise der damaligen Machthaber der Erde entrüstet. Nur die Haruker finden es traditionell zum Totlachen. Doch wenn jemand über zwölf Köpfe, dreißig Leberlappen und zehn Hände mit je hundert Fingern verfügt, zudem über die größten Mineralwasservorkommen zur Produktion von Blausaft in der Milchstraße, so braucht er sich nicht um die Meinung anderer zu scheren und kann es sich leisten, sich über andere totzulachen. Für gewöhnlich mit gutem Ergebnis. Im interplanetaren Raum kreisen haufenweise die sterblichen Überreste von Harukern, die vor Lachen geplatzt sind. Das erfüllt mich mit Trauer, weil ich eine Schwäche für sie habe. Mir gefallen ihre Frauen, ihr Sinn für Humor und ihr Drang nach Unabhängigkeit.

Bis Ende der XX. Epoche des Nichtregenbogens hatte man auf dem Planeten Erde hauptsächlich Tiere als Wetterpropheten eingesetzt. In Mittel- und Osteuropa waren das Wetterfrösche und -fische. Der Laubfrosch war der bekannteste Wetterprophet überhaupt. Und der kleinste. In der Natur saß er, als begnadeter Kletterer, auf Brombeeren oder Schilfhalmen. Die Menschen meinten jedoch, er solle sich für sie nützlich machen und steckten ihn mit einem Leiterchen in ein Glas. Je nachdem, ob der Frosch das Leiterchen hinaufstieg und wie hoch er das tat oder aber auf dem Boden des Glases sitzen blieb, sagte man das Wetter voraus. Dies war eine unwirksame und umständliche Methode, in die Zukunft zu schauen. Kurz vor dem Tod des letzten europäischen Laubfrosches wurde sie deshalb aufgegeben.

Der bekannteste Wetterfisch war damals der Schlammpeitzger, auch Schlammbeißer genannt. Alle Versuche, ihn zu zähmen oder in ein Glas zu stecken, schlugen fehl. Er war ein richtiges Stinktier unter den Wassergeschöpfen. Er atmete durch den Darm, was im Klartext bedeutete: Er nahm Wasser durch den After in seine Wasserlungen auf und stieß es wieder aus. Bei Gefahr oder Wetterumschwung konnte der Ausstoß sogar düsenartig erfolgen. Hätte ein Schlammpeitzger also bei den Menschen in einem Aquarium gelebt, hätte das bestimmt zu regelmäßiger Luftverpestung in der Wohnung geführt. Deswegen lebte er im Freien, in sauerstoffarmem, schlammigem Wasser, wo er keinen großen Schaden anzurichten vermochte. Seine wetterprophetischen Fähigkeiten verdankte er seiner in eine Knochenkapsel eingeschlossenen Schwimmblase, mit der er Luftdruckschwankungen wahrnehmen konnte. Die Menschen versuchten sein unruhiges Schwimmen und seine Sprünge über dem Wasser zu deuten, um so das Wetter zu erraten. Meistens ging es schief.

Für einen modernen Menschen oder Geklonten ist es kaum vorstellbar, dass man einst versuchte, auf solche Art und Weise Tiere auszunutzen. Doch wir müssen berücksichtigen, dass ich hier von sehr alten Zeiten spreche, in denen noch nicht im Grundgesetz geschrieben stand: Die Würde der Tiere ist unantastbar. Heute sind wir in dieser Hinsicht weit aufgeklärter. Heute dürfte ein Schlammpeitzger zum Beispiel wählen oder sogar im galaktischen Parlament sitzen. Und ein Laubfrosch könnte vermutlich eine Aktiengesellschaft gründen oder, wenn er es denn wollte, ohne weiteres eine Karriere als Journalist oder Stabsoffizier starten. Ja, heute haben Tiere alle Rechte des Multiversums, sie sind den Menschen und Geklonten gleichgestellt. Doch was nützt ihnen das? Es gibt fast keine echten Tiere mehr. Meistens sind es Hologramme oder ferngesteuerte Spielzeuge, die man mit Pelz, Borsten oder Schuppen versehen und mit Akkus vollgestopft hat, um sie am Leben zu erhalten. Solche künstlichen Geschöpfe kann man kaum als Tiere bezeichnen!

Die ersten menschlichen Wetterpropheten sind serienmäßig um die Epochenwende in der Wirtschaft und beim Militär eingesetzt worden. So steht es jedenfalls auf Gottes Homepage. Man kann dort aber keine Angaben darüber finden, wie viele es waren und wo sie tatsächlich ihre Tätigkeit ausübten. Ich glaube, damals wusste das keiner, weil die ganze Sache so geheim war wie die Erbauung des Multiversums oder wie das Rezept für Bigos, den legendären polnischen Eintopf aus Sauerkraut und verschiedenen Fleischsorten. Und das, was keiner wusste oder was keiner weiß oder auch was keiner wissen wird, kann unmöglich auf Gottes Homepage erscheinen. So lauten die Regeln.

Wie dem auch sei, ich war jedenfalls einer der Wetterpropheten und ich wusste noch von zwei anderen, einer Frau und einem Jungen. Genauso wie die heutigen Wetterpropheten, lief ich mit einem in die Halsschlagader eingepflanzten Chip herum, der die Schwankungen meines Barorezeptorreflexes aufzeichnete und per Satellit an einen Computer weiterleitete. Der Chip war damals viel größer als heute, ungefähr so groß wie eine Hauswanze aus Niebo. Jetzt gleicht er eher einem Sandalentierchen, einem Einzeller, der durch die ersten Siedler vom Mars auf die Erde eingeschleppt wurde. Der meine Daten auswertende Computer stand im Institut für klinische und physiologische Psychologie der Universität in Kiew, Ukraine. Professor Anatolij Durda leitete das Projekt. Das Geld für das Projekt kam aus Deutschland, einem Land, das zu jener Zeit groß, kinderarm und, wie man vermutete, deshalb wohlhabend war.

Allgemein bekannt ist, dass Rezeptoren in der Halsschlagader, die den Blutdruck und die Herzfrequenz regeln, auf Sferics, unsichtbare elektrische Entladungen, reagieren. Sferics sind bereits seit der Erfindung des Radios im Gespräch. Das Knacken und Knistern in Lautsprechern ist allen Radiobesitzern bestens bekannt. Zu Beginn der XXI. Epoche des Nichtregenbogens wusste man diese Geräusche aber noch nicht richtig zu deuten. Es stand außer Zweifel, dass die Sferics elektromagnetische Felder aufbauen, die die elektrische Aktivität des menschlichen Gehirns beeinflussen. Doch wozu das gut sein sollte, da schieden sich nicht nur die Geister.

Das Knacken und Knistern in Rundfunkgeräten beinhaltete Mitteilungen, die für die schon auf der Erde im Verborgenen vereinzelt lebenden Himmelblauen bestimmt waren. Und ich gehörte unfreiwillig zu denen, die das System durcheinanderbringen sollten. Dadurch, dass ich Wetterprophet war, war ich gleichzeitig Empfänger verschlüsselter Botschaften vom Planeten Niebo. Professor Durda wusste das und er wollte das Vorhaben der Niebieskis stören und zunichte machen. Natürlich nicht im Alleingang. Es gab mehr Individuen seiner Sorte. Man nennt sie heute zu Recht Pseudowissenschaftler. Ich allerdings hatte keine Ahnung davon, was da im Busch war. Bis zum ersten Besuch meines Vaters schritt ich durch die Welt wie ein Idiot vom Neptun, jenem Planeten, auf dem erfahrungsgemäß die meisten Schwachköpfe des uns bekannten Multiversums leben. Es war schön. Erst mit dem Denken und der Behaarung der Geschlechtsorgane kommen alle Probleme auf uns zu, wie Natalia, meine heilige Mutter, oft sagte. Wie Recht sie hatte! Für heute ist aber Schluss! Die Schreiberei kann warten. Ich gehe mit Freyja Multbeeren pflücken. Sie sehen so real aus, dass mir das Wasser im Mund zusammenläuft. Mal sehen, vielleicht machen wir heute Abend Konfitüre daraus. Wie wir das aber ohne Zucker schaffen, weiß der Kuckuck. Vielleicht sollten unsere Machthaber die Sache mit dem Zuckerverbot wirklich noch einmal überdenken. Unser täglicher Süßstoff kann bei der Heilung von Fettleibigkeit wahre Wunder vollbringen, das leugne ich nicht. Doch bei der

Herstellung von Konfitüren versagt er kläglich. Und er verdirbt Echten den Magen. Menschen aber sollten ein Recht auf etwas wahrhaftig Süßes haben.

> Eine Überdosis violetter Tomaten

Ein Menschenleben auf Deutsch zu verarbeiten ist keine angenehme Aufgabe, besonders wenn man kein Sprachforscher ist. Manchmal suche ich stundenlang nach einem Wort und finde es nicht. Dann nehme ich das erstbeste Wort aus dem Synonymwörterbuch und versuche, damit zufrieden zu sein. Wahrlich, es ist nicht leicht, in einer Sprache zu schreiben, die einem fremd geworden ist. Deutsch funktioniert in meinem und in Freyjas Bewusstsein nicht mehr. Ich schreibe und schreibe, und Freya kann und will nicht verstehen, was ich da zum Ausdruck bringe. Deshalb fühle ich mich manchmal einsam. Mit niemandem kann ich meine Gedanken teilen, außer mit einer stumpfsinnigen Maschine, die unter meinem Tisch direkt auf dem Dielenfußboden steht. Es ist ein grotesker, altertümlicher Rechner mit einem getrennten Bildschirm und einer grauen Tastatur aus Kunststoff. So etwas findet man heutzutage nur noch in einem gut ausgestatteten Museum. Mir wurde also keine Bio-Anlage zum Schreiben überlassen und ich frage mich, warum? Hätte ich nicht meinen Daumencomputer gehabt, die Verbindung mit Gottes Homepage wäre undenkbar gewesen. Das steinalte Textverarbeitungsprogramm von Dr. Multer funktioniert einigermaßen, doch allzu oft verursacht es Abstürze und ich muss alles neu tippen. Das ist ärgerlich. Freyja lacht herzlich, wenn ich abends zu ihr unter die Decke krieche und Deutsch spreche. Ja, zuweilen kann ich nicht abschalten und denke in der Sprache, in der ich schreibe. Das gehört zu meiner Rolle als Schriftsteller, glaube ich. Freyja lacht, weil sie Deutsch komisch findet, genauso komisch wie Abessinisch oder Jakobitisch. Warum sie Freude empfindet, wenn sie eine Sprache hört, die es nicht mehr gibt, habe ich noch nicht herausgefunden. Frage ich sie danach, so bekomme ich als Antwort: »Bububub plepleple, hytter byter wedede.« Damit kann ich wirklich nicht viel anfangen. Ich vermute aber, dass es sich dabei um ein Gedicht in einer von ihr erfundenen Sprache handelt. Wer weiß, vielleicht ist sie wirklich mit ihrer vierten Runderneuerung zu weit gegangen.

Was ich dagegen komisch finde, ist die Tatsache, dass Deutsch für meine Geliebte im Grunde einst die Muttersprache war, genauso wie Polnisch. Freyja wurde 1964 als Tochter deutsch-polnischer Eltern in Hamburg geboren. Ihr Vater, ein Nachkomme polnischer Zwangsarbeiter, die nach dem sogenannten Zweiten Weltkrieg (es handelt sich um den Vergessenen Kurzkrieg 1939-1945) im damaligen Germanien geblieben waren, weil sie wegen des andauernden Bürgerkrieges nicht zurück in ihre Heimat wollten, hieß Jan Jagoda und war Bierverleger. Sein Zwischenhandel mit Bier lief bestens, als er an einem regnerischen Freitag im Herbst 1974 plötzlich die Familie und das Land für immer verließ, ohne ein Sterbenswörtchen zu sagen. Seine Beweggründe blieben für alle ein Rätsel. Einen Monat nach seinem Verschwinden kam eine Postkarte aus Südafrika. Obwohl sie leer war, wusste man sofort, wer sie abgeschickt hatte. Freyja war damals zehn Jahre alt. Die von der Mutter erbetene Postkarte mit zwei Kaiser-Pinguinen bewahrte Freyja wie eine Reliquie in einer Schatulle auf. Sie hörte oft eine Stimme, die ihr sagte, dass Jan, ihr leiblicher Vater, auf Antarktika lebe und dass er dort glücklich sei.

Wie wir jetzt Gottes Homepage entnehmen können, lag die Stimme ein wenig daneben. Jan lebte nicht in der Antarktis, sondern in einem Land, das sich direkt darunter im Erdinneren befand. Er verbrachte dort fünf Jahre, bevor er an einem sonnigen Winternachmittag von einem Erkundungsraumschiff der Niebieskis abgeholt wurde. Auf Niebo lebte Jan weitere einundfünfzig Jahre als Versuchskaninchen, zeugte zu Forschungszwecken fünf Prototypen mit einem sechsbeinigen Weibchen vom Planeten Urguk und starb schließlich an einer Überdosis violetter Tomaten, die bei den Niebieskis streng reglementiert waren und als Heroinersatz galten.

Freyjas Schatulle wurde im Ersten Krieg um die Luft durch Feuer vernichtet. Und so ist die Postkarte mit den Kaiser-Pinguinen für immer dahin. Samt den anderen Schätzen, die darin waren. Materie, die durch Feuer getilgt wird, nennt man Abfall und man kann sie nicht rekonstruieren, selbst wenn man die fortschrittlichsten Reprogeräte der Himmelblauen dafür einsetzen würde. Abfall kann man höchstens als primitiven Dünger benutzen, um neue Materie zu züchten. Das tut man aus Kostengründen aber selten. In der Gartenkolonie »Rote Bete« haben wir kaum verbrannte Materie, die wir damals Asche nannten, als Bodennahrung verwendet. Es war nämlich verboten, im Garten Feuer zu machen. Kompost, Jauche und andere natürliche Düngemittel waren dagegen, anders als heute, erlaubt.

Freyjas Mutter stammte aus einem alten Bauerngeschlecht, das seit vielen Generationen in Ostfriesland ansässig war. Sie hieß Katherina Eiszapfen und besaß, nach eigenen Angaben, übersinnliche Kräfte. Ein Jahr nach Jans Verschwinden machte auch sie sich aus dem Staub. Sie verwischte so gründlich ihre Spuren, dass es heute, selbst mit Hilfe der Homepage Gottes, unmöglich ist, festzustellen, wohin sie gegangen ist. Nehmen wir also an, dass eines schönen Tages die Gerechtigkeit ihren Lauf nahm und Katherina Eiszapfen irgendwo in Australien von einem Hai gefressen wurde und ihre letzte Ruhe in Form eines Haufens auf dem Meeresboden fand.

Die Großeltern väterlicherseits zogen das Waisenkind groß. Das haben sie gut gemacht. Beide starben 1984 an den Folgen eines Autounfalls, der sich auf der A2 nicht weit von Berlin ereignete und von einem italienischen Trucker verursacht wurde. Acht Monate später beendete Freyja ihre Steuergehilfenlehre, löste ihre Wohnung in Hamburg auf und entschloss sich, nach Hannover zu ziehen, wo sie Literaturwissenschaft studierte und sich als Kellnerin und private Gesangslehrerin über Wasser hielt. Erst als sie 1990 mit ihrem Studium fertig war, bemerkte sie, dass die Welt Literaturwissenschaftler ebenso wenig brauchte wie Gedichte mit Stab- oder Kehrreimen. Auf dem Arbeitsmarkt sei sie nicht zu vermitteln, sagte man ihr. Schließlich bekam sie dank eines ihrer Musikschüler eine Anstellung als Steuerfachgehilfin.

Ich lernte Freyja im Sommer 1995 durch meinen Bekannten Benno auf der Straße kennen. Es war eine zufällige, flüchtige Begegnung, der ich keine besondere Bedeutung beimaß. Gewiss, ihr attraktives Äußeres gefiel mir auf Anhieb, doch selbst in meinen kühnsten Träumen hätte ich nie damit gerechnet, dass das Entzücken auf Gegenseitigkeit beruhen könnte. Nach damals herrschenden Schönheitsvorstellungen war ich recht hässlich. Mit meinem trotzigen Gesicht, das starke mongolische Einflüsse aufwies, mit meinem nicht gerade berauschenden Wuchs und mit meinem stattlichen Schmerbauch gehörte ich zweifelsohne nicht zu den Männern, derentwegen eine Frau den Kopf verlieren könnte. Zumindest nicht im metaphorischen Sinne. Ich lebte im festen Glauben, dass es mir in dieser Reinkarnation nie und nimmer gelingen würde, für länger als eine Nacht mit einer Frau Tisch und Bett zu teilen. Natalia, meine heilige Mutter, war der gleichen Ansicht. Sechs Monate nach dem ersten Treffen mit Freyja sollte ich jedoch von meinem Glauben abfallen. Das aber wollte Natalia mir nie verzeihen. Wenn es um meine Person ging, befand sie sich immer in der Trotzphase.

Am Tag nach dem ersten Herbstgewitter rief ich Freyja an. Das Gewitter hatte sich zwei Wochen lang zusammengezogen, bevor es ausbrach. Für die damaligen Wetterverhältnisse war das ein ungewöhnlicher Vorgang. Während dieser Wartezeit dachte ich viel an den Tod. Mein Kopf hatte sich in einen tätigen Vulkan verwandelt, der schmerzte und jede Sekunde zu explodieren drohte. Schmerzstillende Mittel halfen nicht. Der Sturm wütete in unserer Stadt, zweitausend Bäume, Hunderte von Autos und zwölf Menschen fielen ihm zu Opfer. Erst mit dem fünften Blitzschlag war bei mir alles vorbei. Ich fühlte mich befreit und konnte ruhig einschlafen.

Nachdem sich Freyja gemeldet hatte, stellte ich mich vor und sagte, dass ich ihre Telefonnummer von Benno bekommen hätte und dass ich bei ihr singen lernen wolle. Sie fragte, ob ich Klassik oder Jazz bevorzugen würde, worauf ich antwortete, dass ich mehr an den mongolischen Kehlkopfgesang dächte; neulich hätte ich zufällig eine Band aus Tuwa in der Fußgängerzone gesehen, und ihre Art zu singen gefiele mir so sehr, dass ich versuchen wolle, sie zu erlernen. Freyja lachte ein wenig verlegen und erklärte, sie gebe leider keinen Unterricht in Höömii. Ich schwieg eine Weile, dann fragte ich stotternd, ob sie trotzdem Lust hätte, sich mit mir zu verabreden. Als sie meine Frage nach kurzem Zögern bejahte, schlug ich ihr Mittwoch, neunzehn Uhr, und ein chinesisches Restaurant vor. Sie möge knusprige Ente über alles, sagte sie, bevor sie auflegte.

Tatsächlich haben wir an diesem Abend den armen kurzbeinigen Gänsevogel verzehrt und ihn mit chinesischem Bier hinuntergespült.

Danach gab es noch viele weitere Verabredungen, die sehr intensiv verliefen, und ein halbes Jahr später landeten wir an einem Abend da, wo alle Liebenden früher oder später landen: im Bett. Draußen herrschten Schneegestöber, Dunkelheit und Kälte, drinnen, in Freyjas Wohnung, war es warm, es gab klassische Musik, brennende Bienenwachskerzen, duftende Räucherstäbchen und zwei heterosexuelle Menschen, die verliebt und scharf aufeinander waren. Es musste einfach passieren.

Als die Sonne aufging, wiegte uns das Wasserbett in den Schlaf.

> Im Namen der Himmelblauen

Zwei Jahre später war ich um dreißig Pfund leichter. Wir heirateten inoffiziell im Mondschein unter einer Pappel, die direkt am Mittellandkanal stand, und beschlossen, zusammenzuziehen. Nach langen Diskussionen mieteten wir eine Dreizimmerwohnung in einem Stadtviertel, das mir schon immer ziemlich spießig vorkam, doch für Freyja genau das war, was sie wollte. Dann pachteten wir einen Garten, in dem wir bei günstigem Wetter unsere Wochenenden und jede freie Minute verbrachten. Unser Garten war für uns ein Paradies auf Erden.

Wir verdienten gutes Geld, konnten uns Fleisch und Gemüse von den sogenannten Ökobauern und zwei Mal im Jahr Urlaub leisten. Im Sommer flogen wir nach Kreta, in die Türkei oder auf die Kanarischen Inseln, im Winter fuhren wir mit unserem Mercedes-Kombi nach Tschechien, Österreich oder Italien, um dort den Schnee zu genießen. Daheim quälten wir uns regelmäßig mit Jogging und besuchten ein Fitnesscenter in unserer Nähe. Da wir schlank waren und in guten Klamotten herumliefen, gehörten wir zur privilegierten Schicht. Abgesehen von Verdauungsstörungen, von denen damals alle wohlhabenden Erdlinge geplagt wurden, die aber mit Hilfe von chemischen Substanzen zu beheben waren, fühlten wir uns kerngesund und gut in Form. Unser Sex war abwechslungsreich, und wenn es bei uns mal kriselte oder langweilig wurde, kauften wir ein neues Spielzeug, liebten uns in einem Wald oder machten einfach eine Wochenendpartnertherapie bei der Volkshochschule. Wir waren ein normales Paar.

Ja, wir lebten glücklich und zufrieden, wie Naturmenschen, bevor sie mit den Langnasen in Berührung gekommen waren und diese ihre Welt zerstört hatten. Unsere Langnase, unser Henker hieß Ruslan Ludminski alias Nathaniel Ost und war mein leiblicher Vater. Durch ihn verlor ich mit vierundvierzig meine kosmische Unschuld. Durch ihn wurde ich zu einem Phönix. Er, mein unerreichbarer Vater, platzte in unsere gemütliche Welt hinein wie eine ferngesteuerte Drohne aus der sechsten Dimension und gab mir die Adresse von Gottes Homepage.

Was auf Gottes Homepage zu finden ist, welche Informationen, welche Bilder oder welche Datenbanken, brauche ich niemandem zu erzählen, das ist allgemein bekannt. Wie ich der Seite des Statistischen Zentralamts entnommen habe, gehört sie zu den meist besuchten Seiten des Multiversums; täglich wird sie mehr als 300 Milliarden Mal abgerufen, was im Klartext bedeutet: Sie wird an einem Tag öfter aufgerufen als sämtliche Eurasien-Seiten in zehntausend Jahren. Es reicht, den Daumencomputer einzuschalten, und Gottes Homepage ist da. In unseren Köpfen. Oder auf unseren durchscheinenden Monitoren.

In einer Werbebroschüre von Kosmonet lesen wir: »Gottes Homepage ist kein Geheimnis, weil es keine Geheimnisse mehr gibt. Alle Informationen wurden offengelegt und sind für jeden zugänglich. Willst du wissen, wie kalt es ist in, sagen wir, Patagonien, machst du einen Klick und schon ist die Information da. Willst du wissen, wer wen in Bangkok in zwei Stunden töten wird, erfährst du es sofort. Du kannst alles über die Vergangenheit, die Gegenwart und die Zukunft erfahren. Doch was du damit machst und welchen Einfluss dieses Wissen auf dein Leben haben wird, ist allein deine Sache, nur du bist dafür verantwortlich, was mit dir passiert, wenn du diese oder andere Informationen abgerufen hast. Denk daran, es ist wie in einem alten Spiel: Weißt du zu viel, dann dreh dich öfter um und pass genau auf die Knöpfe auf, wenn du in einen Aufzug steigst.«

Doch damals, vor vierundachtzig Jahren, war Gottes Homepage völlig unbekannt, ihre Adresse kannten nicht einmal die größten Hacker und Internetfreaks. Die klügsten Köpfe der Erde wussten nichts von ihrer Existenz. Keine Suchmaschine konnte sie ausfindig machen, obwohl alle ihre Unterseiten fachgemäß generiert und mit Meta-Schlüsselwörtern versehen worden waren.

Als ich zum ersten Mal die Adresse der Homepage Gottes in meinem Internetbrowser eintippte, musste ich herzlich lachen, weil sie einige Sonderzeichen beinhaltete, deren Darstellung nur mit Hilfe besonderer Tastenkombinationen zu erreichen war. Dazu musste man die koreanische und marathische Sprachunterstützung eingeschaltet haben, weil zwei Ideogramme aus diesen Sprachen nötig waren, um die Adresse zu vervollständigen. Selbstverständlich war die damalige Adresse die gleiche wie heute; in all den Jahren, die vergangen sind, hat sie sich um kein Schriftzeichen geändert. Doch damals, als noch die englische Sprache das Internet beherrschte, wäre es für einen gewöhnlichen Verbraucher kaum möglich gewesen, Gottes Homepage ausfindig zu machen, sondern nur durch Zufall oder durch einen Hinweis wie in meinem Fall.

Zufälle gehören zum Großen Plan, wie wir wissen, Hinweise ebenfalls. Meinem Vater, dem Fliegenden Kalmücken, wurde die Ehre zuteil, Gottes Homepage auf die Erde zu bringen. Und er brachte sie im Namen der Himmelblauen.

› Feger

Jetzt will ich über Robert Knoch, genannt »Orenda«, berichten. Ich kannte ihn persönlich, und zwar relativ gut. Sein Name ist heute jedem Klonkind geläufig, damals jedoch, kurz vor Beginn des Zeitalters des Regenbogens, war er den meisten Erdbewohnern völlig unbekannt. Niemand konnte ahnen, welche Rolle Robert Knoch in der Entwicklung einmal spielen würde. Er selbst auch nicht. Nur eine Handvoll Menschen wusste, wer er wirklich war, und das waren vor allem seine Nachbarn aus der Gartenkolonie »Rote Bete«.

Er war nicht, wie man heute behauptet, ein hoch gewachsener Mann mit blonder Mähne, einem ausgeprägten Kinn und blauen Augen. Nein, er war eher ein Dackel unter den Menschen, hatte braune Augen, ein fliehendes Kinn und eine Halbglatze. Er trug eine scharfe Brille, die ihm häufig von der Nase rutschte.

Ob er mich mochte, weiß ich nicht. Ich mochte ihn jedenfalls sehr, besonders in der ersten Phase unserer Bekanntschaft. Er sprach ungern über seine Gefühle. Lieber pflanzte er Kohlrabi an. Wir waren direkte Nachbarn, unsere gepachteten Grundstücke grenzten aneinander. Damals war er mit Hedda, einer leicht pummeligen und immer freundlich lächelnden Frau verheiratet. Alle mochten sie. Sie züchtete die schönsten Teerosen und bekochte gerne ihren Mann und ihre beiden Kinder Sinclair und Jana. Sie hatte ihre rechte Brust durch Krebs verloren, ließ sich aber nie anmerken, dass sie darunter litt.

Robert Knoch galt als inoffizieller Bezirksmeister im Rasenmähen, und seine gigantischen Kohlrabis waren weit über die Grenzen der Gartenkolonie hinaus bekannt. Nie habe ich herausgefunden, wie er das machte. Er behauptete, seine Setzlinge immer beim erstbesten Bauern auf dem Markt zu kaufen und Pferdemist als Dünger zu verwenden. Von wegen Pferdemist. Das Märchen hätte er lieber seiner Großmutter erzählen sollen! Ich hatte seine Methode ausprobiert und nur Misserfolg geerntet. Es blieb mir also nichts anderes übrig, als auch künftig neidisch auf seine Kohlrabis zu schauen. Viel, viel später habe ich von Robert »Orenda« Knoch erfahren, dass er meine kleine Sauerampferplantage immer bewunderte. Diese Aussage tröstet mich bis heute.

Mitte März im Jahre des Fünften Violetts rief er mich zu sich. Ich war gerade dabei, ein Beet für Kartoffeln umzugraben, als ich ihn am Zaun stehend erblickte. Ich unterbrach meine Arbeit, stach den Spaten in die Erde und ging zu ihm. Er sah mich durchdringend an und fragte, ob ich mitmachen wolle. Im ersten Moment dachte ich an den Birnbaum, der mitten in seinem Garten stand und von dem er mir am Vortag erzählt hatte, er müsse ihn wegen einer unheilbaren Blattkrankheit fällen, also nickte ich zustimmend. Zufrieden drückte er mir die Hand und sagte, ich solle diese Nacht um elf bei ihm erscheinen. Es wunderte mich ein wenig, dass er den Baum im Dunkeln zu fällen beabsichtigte, aber ich erwiderte nichts.

Nachdem ich mit dem Kartoffelbeet fertig war, fuhr ich nach Hause, um eine Kleinigkeit zu essen. Pünktlich um elf kehrte ich zurück in die Gartenkolonie. Weit und breit kein Knoch. Ich wurde unruhig. Als ich an die Tür seiner Laube klopfte, hörte ich anfangs nichts, dann aber forderte jemand, der drinnen saß, eine Parole von mir. Ich dachte, ich sei im falschen Film, und wollte schon wieder gehen, doch etwas hielt mich zurück. Zum Spaß sagte ich: »Wacholder schlägt Birnbäume«, was von mir als Anspielung auf die wahren Ursachen der Birnenbaumkrankheit in unserer Gegend gedacht war.

Die Tür wurde geöffnet und ich erspähte Adalbert Lesginka, einen deutschstämmigen Ukrainer, dessen Doppelgarten sich schräg gegenüber vom Vereinshaus befand. Einmal, kurz nachdem Lesginka eingezogen war, hatte ich ihm meine Axt geliehen, weil er gemäß den Vorschriften einige Nadelbäume in seinem Garten fällen musste. Nach einem Monat erschien er bei mir mit zwei Äxten. Eine davon war mein Eigentum, die andere hatte er als Dankeschön für meine Hilfe gekauft und bestand darauf, dass ich sie behielt. Das wollte ich aber nicht. Wozu brauchte ich zwei Äxte, eine reichte vollkommen! Lesginka reagierte sauer. Es gefiel ihm überhaupt nicht, dass ich sein Geschenk ablehnte. Nach einem ausführlichen Disput einigten wir uns, dass ich die zweite Axt doch irgendwie gebrauchen könnte und Lesginka von mir als Zeichen unserer Freundschaft einen Wasserschlauch bekäme. Nach diesem Vorfall entschloss ich mich, Adalbert Lesginka aus dem Weg zu gehen und mich auf keine Leihgeschäfte mehr mit ihm einzulassen. Eine dritte Axt oder eine fünfte Schaufel hätte ich in meiner Laube wirklich nicht verstauen können, sie war einfach zu klein.

Jetzt murmelte Lesginka etwas davon, dass die Parolen sich schneller als die Benzinpreise ändern würden und dass er sie sich nie richtig merken könne. Er schob den Tisch beiseite, beugte sich tief hinunter und rollte einen fleckigen Läufer zusammen. Eine Bodenluke wurde sichtbar. Lesginka klappte sie hoch und stöhnte dabei wie ein Gewichtheber. »Na, bitte sehr, Gospodin Gepin!« Er machte eine einladende Handbewegung. Völlig verdutzt warf ich einen Blick in die Dunkelheit und überlegte, was ich machen sollte. Inzwischen setzte sich Lesginka wieder auf einen Stuhl am verdunkelten Fenster. Er atmete schwer und die Spitze seiner Zunge kam zum Vorschein, während er sich einer Tätigkeit widmete, die er vermutlich durch mein Kommen hatte unterbrechen müssen: Er arbeitete an einem Drehburger. Ich rührte mich nicht vom Fleck. Er musste spüren, dass ich ihn beobachtete, und wurde nervös. Tabakkrümel fielen auf den Fußboden.

»Worauf wartest du, Gospodin Gepin?« Lesginka hob den Kopf und starrte mich an. »Willst du, dass ich dir eine Einladung schicke? Rein mit dir! Oder soll ich nachhelfen?«

Na gut, warum nicht, dachte ich, holte ein Feuerzeug aus der Hosentasche, zündete es an und sah, dass es eine Leiter gab, die nach unten führte. Na, wenigstens das. Ich stieg in das Loch.

Unten angekommen, hörte ich kurz Lesginkas Lachen, und die Luke wurde geschlossen. Als ich in die Hocke ging, erblickte ich einen Tunnel, der allem Anschein nach für Gartenzwerge angelegt worden war. Menschen, die hindurch wollten, mussten auf die Knie gehen und kriechen. Im Tunnel war es feucht und kühl. Nach einer Weile erlosch mein Feuerzeug und ich warf es weg. In völliger Dunkelheit bewegte ich mich auf allen Vieren vorwärts, so langsam, dass ich den Wettlauf mit einer Schnecke bestimmt verloren hätte. So tief unter der Erde gab es damals aber noch keine Schnecken.

Endlich Licht! Am Ende des Tunnels gab es viel Licht, und einen Raum, in dem sich eine Gruppe von Frauen und Männern versammelt hatte. Alle waren beschäftigt. Ich richtete mich auf und sah Robert Knoch auf mich zukommen.

»Da sind Sie ja endlich!«, sagte er. »Wie gefällt Ihnen unser Volkswagen?«

Als ich ihn verständnislos ansah, erklärte er, dass sie den Tunnel so nennen würden.

»Wir wollten doch heute Nacht Ihren Birnbaum fällen ...«, sagte ich.

Diesmal machte Robert Knoch große Augen. »Was reden Sie da? Ich habe gefragt, ob Sie bei uns mitmachen möchten, und Sie haben zugestimmt. Wo liegt das Problem?« Das Missverständnis wurde bald geklärt und wir lachten beide.

»Was machen all diese Leute hier?«, fragte ich.

»Sie basteln.«

»Und was basteln sie?«

»Bomben, was sonst? Das werden Sie auch noch lernen, Herr Gepin. Aber nicht heute. Heute schauen Sie sich bitte einfach um und genießen in vollen Zügen Ihre erste Nacht im Untergrund.«

»Wofür sind die Bomben?«

»Um Bum zu machen! Bim, bam, bum! Wir arbeiten gerade an einem Sechserpack, mit dem wir unseren Bürgermeister feierlich verabschieden möchten. Knifflig, knifflig, äußerst knifflig, das sage ich Ihnen. Normalerweise benutzen wir einen Doppel-, höchstens einen Viererpack. Mit sechs Zündungen haben wir es noch nie versucht. Aber es wird klappen, wir sind schon dicht dran.«

»Herr Knoch, verstehe ich Sie richtig, Sie wollen wirklich den alten Bürgermeister Novotko in die Luft jagen?«

Auf diese Frage bekam ich keine Antwort. Robert Knoch schmunzelte nur geheimnisvoll, sagte »Darüber reden wir später« und entfernte sich.

Ich versuchte mit den Bastlern ins Gespräch zu kommen, doch keiner hatte Zeit für mich. Alle waren so beschäftigt, dass sie nicht einmal eine Pinkelpause einlegten. Ich schlenderte durch den unterirdischen Raum und überlegte, ob es tatsächlich klug von mir war, mich auf solch gewagte Unternehmungen einzulassen. Andererseits wusste ich genau, dass ich keine andere Wahl hatte.

Da bemerkte ich in einer dunklen Ecke meinen Vater. Er stand an einer Werkbank und bearbeitete mit einer Feile einen runden Gegenstand, der im Schraubstock steckte. Ich näherte mich ihm.

»Was machst du hier, Nathaniel?«

»Nathaniel? Warum Nathaniel?«

»Heißt du nicht so? Heißt du jetzt nicht Nathaniel Ost? Bist du nicht der, der Ruslan Ludminski hieß? Vater, was ist los mit dir?«

»Bin ich wirklich dein Vater?« Der Mann mit der Feile zog seine Augenbrauen hoch. »Na ja, warum eigentlich nicht. Alles ist möglich. Du und deine ewige Vatersuche.«

»Verzeihung, ich habe mich geirrt«, sagte ich und wollte gehen, doch er packte mich am Arm und hielt mich zurück.

»Junge, hast du es schon jemandem erzählt?«, flüsterte er konspirativ.

»Was sollte ich erzählt haben?«

»Über Gottes Homepage?«

»Nur Freyja. Aber sie glaubt mir nicht. Sie sagt, dass ich spinne.«

»Das ist gut. Sehr gut! Eine bemerkenswerte Frau, aber in mancher Hinsicht ein wenig stur und unschöpferisch, muss ich sagen. Glück für uns! Merke dir eins, mein Junge, keiner sollte erfahren, dass es Gottes Homepage gibt, keiner sollte diese Adresse bekommen, nicht mal die hier. Noch nicht. Es ist zu früh, viel zu früh. Verstehst du?«

Als ich nickte, sagte er noch »Jetzt muss ich aber los« und verschwand. Mitsamt dem ganzen Zubehör: der Werkbank, dem runden Gegenstand im Schraubstock und der Feile. Nur feiner Metallstaub, der auf dem Boden schimmerte, war von ihm übrig geblieben.

Ich drehte mich um und sah Robert Knoch mit einem Besen in der Hand auf mich zukommen. Ob ich mich nützlich machen wolle, fragte er.

Sofort machte ich mich an die Arbeit und bekam, als ich schließlich mit dem Kehren fertig war, meinen ersten Decknamen: »Feger«.

Alle Untergrundler eilten herbei, beglückwünschten mich und klopften mir auf die Schulter. Auf einmal hatten sie Zeit für mich.

Erfüllt von Stolz fuhr ich nach Hause.

Trotz der späten Stunde war Freyja noch wach. Sie empfing mich mit offenen Armen und Champagner. Als ich ihr von meinen nächtlichen Erlebnissen erzählen wollte, legte sie einen Finger auf meine Lippen und sagte: »Ich glaube, es war keine schlechte Idee, Knoch zu überzeugen, dich aufzunehmen. Und jetzt schließ die Augen, entspann dich und ich mache dir das, was du besonders magst.«

Ich tat, was sie sagte.

Sie tat, was sie sagte.

Das Leben eines Untergrundlers ist gar nicht so schlecht, dachte ich, bevor ich einschlief.

❯ Blech, Plastik und Gummi

Ich war nicht dabei, als das Sixpack explodierte. Aus einer Internetzeitung erfuhr ich, was sich da am 2. Mai im Fünften Violett vor dem Rathaus in Hannover abgespielt hatte. Zugegeben, das waren für mich keine besonderen Neuigkeiten, weil ich schon zwei Wochen früher zufällig etwas darüber auf Gottes Homepage gelesen hatte. Aber es war amüsant festzustellen, dass es gewisse Unterschiede in der Berichterstattung gab. Gottes Homepage schilderte zum Beispiel eine ohrenbetäubende Detonation, die nicht nur das Rathaus, sondern auch die umliegenden Gebäude stark beschädigt und Panik in der Bevölkerung ausgelöst habe.

Das entsprach, milde gesagt, nicht ganz den Tatsachen. Genau genommen wurde der Anschlag nämlich so präzise und vor allem so leise durchgeführt, dass kaum jemand ihn wahrnehmen konnte. Um 14:30 Uhr verließ der Bürgermeister Novotko sein Büro in der ersten Etage des Neuen Rathauses und stieg die Marmortreppe hinunter. Seine Sekretärin, eine korpulente Dame mittleren Alters mit hochgesteckten Haaren, begleitete ihn bis zur Ausgangstür, wo sie ihm eine schwarze Aktentasche in die Hand drückte und dann umkehrte. Direkt vor dem Rathaus wartete eine silbergraue Limousine mit verdunkelten Fenstern, die den Bürgermeister zu einer Verabredung mit Geschäftsleuten aus dem Sudan bringen sollte. Kurz bevor er die Limousine erreichte, bekam er einen Anruf. Er holte sein Handy aus der Sakkotasche, schaute auf das Display, lächelte und entschloss sich, das Gespräch anzunehmen, denn auf dem Display sah er die Telefonnummer seiner Geliebten. Er schaffte es gerade noch »Hallo, Mäuschen ...« zu sagen, als aus dem Nichts ein Mann in einem grünen Anzug auftauchte, der sich zwischen ihn und die Limousine stellte. Der Mann fragte, ob der Herr Bürgermeister so gütig wäre, seinen sudanesische Gästen im Namen aller städtischen Brauereien ein bescheidenes Geschenk zu überreichen. Der Bürgermeister, der Schwierigkeiten hatte, die Worte seiner Geliebten zu verstehen, nickte abwesend mit dem Kopf und zeigte auf den Kofferraum. Der Grüne begab sich zum Chauffeur und bat ihn, die Sechserpackung Bier an sich zu nehmen und im Auto zu verstauen, was der gute Mann auch tat. Dann kehrte er auf seinen Platz hinter dem Lenkrad zurück. Inzwischen entschloss sich der Bürgermeister, seine Versuche, mit seiner Geliebten ins Gespräch zu kommen, abzubrechen, und drückte die rote Taste auf dem Handy. »Komisch«, sagte er, »kein Netz! Das ist mir noch nie passiert.«

»Es gibt immer ein erstes Mal«, sagte der Grüne, und während er die Beifahrertür aufhielt, verbeugte er sich tief. »Ich wünsche Ihnen eine angenehme Reise.«

Der Bürgermeister bedankte sich mit einem Kopfnicken und stieg ein. Der Chauffeur startete den Motor und die Limousine setzte sich langsam in Bewegung. Es war 14:39 Uhr. Sechzig Sekunden später – der Chauffeur sah gerade nach rechts, um zu prüfen, ob er sich in den Straßenverkehr einordnen konnte, während Bürgermeister Novotko gebannt auf eine füllige Frau starrte, die den Versuch unternahm, ihr Fahrrad zu besteigen –, genau sechzig Sekunden später drückte der Grüne den obersten Knopf seines Sakkos, und die silbergraue Limousine löste sich in Luft auf. Geräuschlos und sauber. Lediglich eine Radkappe blieb tänzelnd auf dem Bürgersteig zurück, worüber sich Robert Knoch bei der späteren Besprechung aufregte, aber sonst konnte man von einem vollen Erfolg sprechen. Das Sixpack hatte funktioniert: Zwei männliche Personen und ein großer Gegenstand aus Blech, Plastik und Gummi waren ordnungsgemäß entmaterialisiert worden. Robert Knoch konstatierte salopp: »Unsere Dimension hat sich eines Ungeheuers entledigt.« Ich hatte meine berechtigten Zweifel, ob er bei dieser Äußerung an den Bürgermeister oder an die Limousine dachte, denn es war kein Geheimnis, dass Knoch eine Vorliebe für Fahrräder hatte.

Bis heute bin ich mir nicht sicher, ob es damals wirklich nötig war, den Bürgermeister buchstäblich von der Bildfläche verschwinden zu lassen und in die sechste Dimension zu katapultieren. Im Grunde war er ein guter Politiker: dumm wie eine Steckdose, arrogant wie ein Türsteher und eingebildet wie ein antiautoritär erzogenes Kind. Dazu machte er krumme Geschäfte mit Strom- und Gaslieferanten und mit der sudanesischen Mafia. Doch der, der nach seinem Verschwinden ans Ruder kam, ein gewisser Allamann, war schlimmer als die merkurianische Pest und die saturnische Cholera. Merkwürdigerweise wurde uns nie nahe gelegt, Herrn Allamann aus dem Verkehr zu ziehen. Das lag vielleicht daran, dass er ein Cousin dritten Grades von Knochs Frau Hedda war. Knoch wollte zu Hause bestimmt seine Ruhe haben. Keiner streitet gerne mit der eigenen Frau über die Notwendigkeit der Entmaterialisierung von Familienmitgliedern, selbst wenn es sich lediglich um entfernte Verwandte handelt.

> Simon von der Marmelade

Der Mann im grünen Anzug, der den Sechserpack abgeliefert und die Detonation durch die Betätigung des Senders in seinem Sakkoknopf ausgelöst hatte, hieß Simon Replet und war gebürtiger Belgier. Im bürgerlichen Leben arbeitete er als Computertechniker bei einer großen Bank. Sein Steckenpferd waren Zucchini und Quitten. Mit Stolz behauptete er, auf seinem bescheidenen Grundstück wüchsen die beiden letzten Quittenbuschbäume Mitteleuropas. Im Untergrund galt Simon Replet als zuverlässiger Mensch, der immer ein Gläschen Quittenmarmelade bei sich trug, um es mit anderen zu teilen. Man nannte ihn »Simon von der Marmelade«.

Ein Jahr nach dem Anschlag wurde er bei einer Straßenkontrolle wegen Trunkenheit am Steuer festgenommen. Er war aber nicht betrunken, das steht fest. Aus religiösen und gesundheitlichen Gründen trank er keinen Alkohol. Nach dem Tag der Verhaftung hat er nie wieder einen Sonnenaufgang erblickt. Seine letzten Jahre verbrachte er in einem unterirdischen Geheimgefängnis der Regierung, in dem man Staatsfeinde verrecken ließ. Kurz vor dem Ausbruch des Ersten Krieges um die Luft wurde er hingerichtet. Man holte ihn an einem Sonntag aus seiner Zelle und führte ihn in den Waschraum. Dort sollte er seine Sachen ausziehen und sich auf ein Eisenbett legen. Als er sich weigerte, wurde Gewalt angewendet: Man riss ihm die Kleider vom Leib und band ihn am Bett fest. Dann wurde sein Kopf in einen Mikrowellenherd gesteckt. Spätestens in diesem Moment wusste er, was man mit ihm vorhatte. Er musste aber noch zwölf Stunden warten, bis ein Unteroffizier, ein gewisser Horst Salatzki, kam, um die Mikrowelle einzuschalten. Während der Wartezeit sang Simon Replet Kirchenlieder, vorwiegend katholische. Erst als die Verbindung zwischen seinem Gehirn und seiner Zunge durch die elektromagnetischen Hochfrequenzwellen zerschmettert wurde, trat im Waschraum Stille ein.

Noch am selben Tag benutzte der Unteroffizier die Hinrichtungsmikrowelle, um sich darin sein Mittagessen aufzuwärmen. Horst Salatzki wurde von seinen Vorgesetzten als stark beeinflussbar eingestuft. Er schaute sich immer die Nachrichten im Fernsehen an. Seine Frau hatte ihn vor fünf Jahren verlassen, weil sie überzeugt war, dass ihr Mann ein Sadist sei. Ihre Überzeugung erwies sich als völlig begründet.

Gäbe es die Homepage Gottes nicht, die Welt hätte nie erfahren, wie und wann Simon Replet, der Mann, der Bürgermeister Novotko entsorgt hatte, heimgegangen ist. Und noch etwas hätte die Welt nie erfahren, nämlich, von wem und warum Simon Replet den Behörden ausgeliefert wurde. Ich habe versucht, die betreffende Stelle von Gottes Homepage zu entfernen. Doch das ist mir nicht gelungen. Kein Mensch und kein Geklonter ist in der Lage, die Homepage Gottes zu verändern. Dazu müsste man der Webmaster Gottes sein und das können vielleicht nur die Himmelblauen.

› Gaz 67B

Meine Ausbildung im Untergrund verlief nicht ohne Zwischenfälle. In der ersten Zeit lernte ich im Schnellkurs, Bomben jeglicher Art zu basteln und sie hochgehen zu lassen. Im Vergleich mit denen, die man heutzutage verwendet, waren die unseren ziemlich primitiv. Nie haben wir zum Beispiel Nuklearsprengköpfe eingebaut, obwohl wir dazu in der Lage gewesen wären. Bei uns mangelte es an manchem, doch nicht an Kontakten zu Lieferanten aus der Atombranche. Manche von ihnen wollten uns Nuklearsprengköpfe sogar umsonst zukommen lassen, weil sie sich dadurch die Erschließung neuer Absatzmärkte versprachen. Daraus wurde aber nichts. Alle in unserer Gruppe hatten panische Angst vor der Strahlung und wir wollten die Erde nicht verseuchen. Keiner von uns hatte Lust auf einen Teller Grünkohl mit Uran oder Plutonium statt Bregenwurst als Beilage. Bestrahlte Nahrung zu sich zu nehmen, ist erst später in unserer Stadt in Mode gekommen. Aber da waren wir schon längst über alle Berge und unsere Gartenkolonie »Rote Bete« gab es nicht mehr.

Am meisten Spaß hatte ich bei der Anfertigung von Entmaterialisierungsbomben, die man in verschiedene Gegenstände des täglichen Bedarfs einbauen konnte: in eine Colaflasche, in ein Handy, in eine Festplatte, eine Sparglühbirne oder auch in eine schwedische Knoblauchpresse, was zu meiner Spezialität wurde. Doch dann ging uns eine zur Herstellung unbedingt benötigte Zutat aus, die wir nirgends auftreiben konnten. Einige Zeit lang führte ich Experimente durch, um diese Zutat aus Sauerampfer zu gewinnen. Daraus wurde jedoch nichts. Mir fehlte es an Erfahrung, und Ausdauer gehörte schon damals nicht zu meinen Stärken.

Mit Hilfe von Computerspielen lernte ich schießen. Nach zwei Monaten Übung waren für mich nicht nur amerikanische, israelische oder russische Waffen kein Geheimnis mehr, sondern auch solche, die man erst später entwickeln sollte.

Robert Knoch war mit mir äußerst zufrieden. Nach der Abschlussprüfung, die ich als drittbester in der Gruppe bestanden hatte, sagte er: »Feger, Mutter Natalia hat jetzt einen Grund mehr, stolz auf Sie zu sein! Weiter so, mein Junge!« Ich erstarrte.

»Mutter Natalia?«, stammelte ich. »Meine Mutter?«

»Ja«, antwortete er, »Ihre Mutter. Sie hat uns schon viele gute Dienste erwiesen. Ich dachte, Sie wüssten das.«

Im Spätwinter fuhr ich mit einigen Untergrundlern für eine Woche nach Westpolen zu Förster Grabicz, einem alten Bekannten von Knoch. Grabicz organisierte im Reppener Wald legale und staatlich geförderte Kriegsspiele für abendländische Touristen, die als Jagdgesellschaften getarnt wurden. Sich den Arsch im Schnee abzufrieren, fand ich nicht besonders amüsant, zumal mir die Geduld fehlte, regungslos in einem Versteck zu liegen oder zu stehen und auf den Gegner zu warten. Schießen mit Fettkugeln, die beim Aufprall zerplatzten und alles mit greller Farbe befleckten, mochte ich überhaupt nicht. Es war mir zu schmutzig und zu kindisch.

Nach meiner Rückkehr aus Polen ging es gleich wieder in den Wald und auf die Felder. Diesmal nach Buchholzmoor, wo sich unser Truppenübungsplatz befand und wir trainieren konnten, ohne uns dabei der Gefahr auszusetzen, von den Agenten des Verfassungsschutzes beobachtet oder gestört zu werden. Das Moor mit dem anliegenden Wald war Privatbesitz eines waschechten Grafen, dem einzigen Adligen, der damals bei uns mitmachte. Er legte sich den Decknamen »Leibeigener« zu. Später, gleich nach dem Ausbruch des Zweiten Krieges um die Luft, wurde Leibeigener von seiner eifersüchtigen Geliebten Gloria denunziert. Er saß im berüchtigten Lager »Zur weißen Borke« und wurde nach einem misslungenen Gefangenenaustausch von Janitscharen, wie die regierungstreuen Truppen genannt wurden, hingerichtet. Nach heute geltender Geschichtsschreibung erlitten damals über siebentausend weitere Aufständische das gleiche Schicksal. Alle starben eines qualvollen Todes an einer Überdosis Ups, einer anregenden Droge, mit der man das Trink- und Waschwasser im Lager vergiftet hatte. Es sei durchaus nicht ausgeschlossen, schreibt Professor Wan Kiun in seiner epochalen Kosmonet-Monographie »Rhythmus der Kriege«, dass der Massenmord an den Siebentausend das Erscheinen der Niebieskis auf der Erde erheblich beschleunigt, wenn nicht überhaupt erst hervorgerufen habe. Und weiter heißt es dort: »Seit Urzeiten können Niebieskis die Barbarei nicht ausstehen und weigern sich, sie als legitimes Mittel anzuerkennen.«

Da bin ich ein wenig anderer Meinung.

Einmal, nur ein einziges Mal, ergab sich für mich die Gelegenheit, die erste und dadurch vielleicht die glaubhafteste und unverfälschte Version der Begebenheiten im Lager »Zur weißen Borke« auf der früheren Homepage Gottes zu lesen. Wenn ich mich recht entsinne, haben die Siebentausend mit der Landung nur zeitlich etwas zu tun. Die Niebieskis tauchten tatsächlich kurz nach diesem Massenmord in Westeuropa auf, unter dem Vorwand, die innere Harmonie dieses Fleckchens Erde wiederherstellen zu wollen, wie auf Flugblättern zu lesen war, die über den Städten abgeworfen wurden. Die Wahrheit ist jedoch, dass sie selbst diese grausame Tat verursacht hatten. Sei es durch gezielte Manipulation der magnetischen Gitter der Erde, sei es durch Schließen eines geheimen Abkommens mit der UNO oder durch die Ernennung eines gewissen Paul Koriander, ihres Helfershelfers, zum Kommandanten des besagten Lagers. Die Himmelblauen, unsere edlen Retter in der Not, hätten doch wissen können, dass Paul Koriander die nächste Fleischwerdung eines Schlächters aus dem vergessenen Kurzkrieg war. Ein solches Monster lässt man nicht noch einmal auf die Menschheit los! Und wenn man es tut, dann sollte man sich nicht wundern.

Ja, meine lieben Blauen, das hat man davon, wenn man einen unangenehmen Zeugen, einen Echten, der Gottes Homepage seit Jahrzehnten kennt, am Leben lässt: Die Wahrheit kommt ans Licht, früher oder später. Ich nehme mir die Freiheit, so offen darüber zu schreiben, weil ich genau weiß, dass ihr mich jetzt nicht mehr entsorgen könnt. Meine vierte Runderneuerung ist beschlossene Sache – schade für euch, schön für mich – und ich werde weiterleben, und weiter und weiter, bis ich eines Tages eines natürlichen Todes sterbe, und nicht durch eure Hand. Ich, der sich erinnern kann, bin euer Gewissen und euer Richter. Doch ich versichere euch, ich bin nicht nachtragend, mein Urteil über euch wird nicht zu hart ausfallen. Ich bin anders als andere Götter, ich kenne ein Erbarmen.

Im Buchholzmoor verbrachten wir einen Monat. Dort hatte ich laufen und mich dicht am Boden fortzubewegen, sprich kriechen, gelernt. Unsere Gruppe war richtig zusammengewachsen. Die meiste Zeit verbrachte ich mit Adalbert Lesginka, dem einzigen Menschen in unserer Mannschaft ohne Pseudonym, wahrscheinlich weil sein Vor- und Nachname schon Pseudonym genug waren. Von Freundschaft zwischen mir und Lesginka war jedoch nie die Rede, wir waren nur gute Kumpel, die sich in Kampfspielen aufeinander verlassen konnten.

Als nächstes durfte ich lernen, einen Geländewagen zu lenken, anfangs in der virtuellen, dann in der realen Wirklichkeit. Die virtuelle war bunter und die Fahrzeuge hatten mehr Power, mir gefiel die reale aber viel besser. Mit hundert Sachen über die Erdenfelder zu brausen sei aufregender als tausend interplanetare Flüge, sagte der amtierende Weltallmeister der Formel XL einmal in einem Interview auf Canal n+1. Das kann ich nur unterschreiben. Hätte ich ein Dutzend Hände wie Robokker, die Einwanderer aus E565, die seit zwanzig Jahren in Nordgrönland leben, würde ich es mit zwölf Händen tun.

Trotz aller Bemühungen gelang es mir nicht, die Fahrprüfung zu bestehen. Nachdem ich den dritten Geländewagen zu Schrott gefahren hatte, fühlte sich Robert Knoch gezwungen, mich zum Aufgeben zu bewegen. »Schluss damit«, sagte er, »konzentrieren Sie sich lieber auf Pflanzenzucht!«

Dennoch glaubte ich, dass aus mir noch ein passabler Autocross-Fahrer werden könnte. Dafür brauchte ich nur das richtige Fahrzeug, und zwar vom gleichen Typ wie jenes, das meinen Vater auf die Startrampe in Kapustin Jar gebracht hatte.

Dazu benötigte ich allerdings wieder Adalbert Lesginkas Hilfe. Widerwillig wandte ich mich an ihn, weil mir die Geschichte mit der Axt noch in den Knochen saß. Es ist eine Sache, in schmutzigen Klamotten Hand in Hand mit jemandem durch die Felder zu laufen, um einen Gegner zu bekämpfen, und eine ganz andere, mit solch einem Menschen Geschäfte zu machen. Doch ich wusste, dass Lesginka einen Bekannten hatte, der einen Bekannten hatte, der wiederum jemanden kannte, der mir bei der Lösung meines Problems behilflich sein konnte. Adalbert Lesginka bekam für seinen Gefallen drei Stachelbeersträucher und zehn Kilo Möhren im Voraus und ließ seine Beziehungen spielen. In Riga, im ehemaligen Lettland, besorgte er mir einen Gaz 67B. Der Wagen sah aus, als wäre er in einem Holzschuppen zusammengebastelt worden, stammte aber faktisch aus den be-

rühmten Gorki Werken der Sowjetunion, und zwar aus der Produktion des Jahres 1943, er war also bereits länger auf den Rädern als die meisten Menschen auf ihren Beinen. Als er auf einer Lafette zu mir gebracht wurde, war er, nachsichtig formuliert, in einem depressiven Zustand: mächtig verbeult, die Elektrik im Eimer, der Auspuff – ungewöhnlich platziert, rechts, vor dem Hinterrad – durchlöchert wie eine Schießscheibe, keine Reifen, keine Bremsen, verrußte Zündkerzen, und der Motor würgte bei jedem Anlassen wie der Hund an einem Hähnchenknochen. Joseph, mein Automechaniker aus Schlesien, das damals noch keineswegs ein unabhängiger Staat war, legte sich tüchtig ins Zeug, und binnen kurzer Zeit rief er meinen Dinosaurier ins Leben zurück. Nicht durch Klonen, wohl bemerkt, sondern ausschließlich mit menschlicher Intelligenz und Muskelkraft. Zusätzlich baute er einen Kryospeicher ein, damit ich auch mit LH2, dem flüssigen Wasserstoff, fahren durfte. Ich war aus dem Häuschen, als ich sah, was er da gezaubert hatte. Und ich verliebte mich auf der Stelle. Nicht in Joseph selbstverständlich. Uns verband nur das Geld, das ich ihm für seine Arbeit bezahlte, und zwar immer in bar, um so das Finanzieren von Kriegen mit unseren Steuern zu vermeiden. Heute, da keine vom Multiversumbürger zu leistenden Abgaben mehr erhoben werden und uns allen alles gehört – zumindest auf dem Papier –, gibt es solche moralischen Probleme nicht mehr. Aus der Sicht früherer Generationen lebt jeder von uns in einem Steuerparadies.
Ab der Jungfernfahrt ging ich mit dem Gaz quasi fremd. Ich stürzte mich in meine neue Beziehung wie ins Verderben. Jede freie Stunde verbrachte ich mit meinem neuen Spielzeug. Ich putzte es, fütterte es mit Sprit, Wasser, Bremsflüssigkeit, mit Getriebe- und Motoröl, und vor allem fuhr ich es regelmäßig spazieren. Keinen einzigen Unfall habe ich dabei gebaut, nicht einmal einen Kratzer bekam mein

Gaz während unserer »Schäferstündchen«. Und so war meine nächste Fahrprüfung nur eine Formalität.

Freyjas Eingreifen war es zu verdanken, dass ich letztendlich doch von der Fahrerei Abstand nahm. Sie fühlte sich vernachlässigt und begann, mir Vorwürfe zu machen. »Nimm dich in Acht, mein Schwänzchen, durch deinen russischen Liebling wird unser Sexleben bald zum Krüppel«, warnte sie mich.

Doch erst nach zwei Monaten Abstinenz hatte ich ihre Worte verstanden und ernst genommen. Schweren Herzens stellte ich meinen Gaz 67B im Wald ab, küsste ihn auf die Scheinwerfer, bedeckte ihn mit einer Plane, mit Ästen und Büschen und ließ ihn schlafen.

Zu Hause wartete Freyja mit einem Topf Sauerampfersuppe auf mich, in der grob gehackte Eier schwammen. Das versetzte mich sofort in gute Stimmung. Ich verschlang drei randvolle Schalen.

Danach verschlang Freyja mich.

Als zweites Dessert gab es Götterspeise. Sie verlieh uns aber weder Unsterblichkeit noch übernatürliche Kräfte.

Die Götter waren müde und nach einem Gutenachtlied gingen wir wie kleine Kinder schlafen.

❯ Der Dritte Sohn

Gestern habe ich in meinen Notizen geblättert und dabei festgestellt, dass ich versäumt habe, zu berichten, wie es dazu kam, dass meine heilige Mutter Natalia Filipowna Gepin und ich im alten Deutschland gelandet waren. Das muss jetzt nachgeholt werden.

Wie ich schon an anderer Stelle erwähnte, war Natalia Wissenschaftlerin. Sie befasste sich mit Psychometrie, also mit der »Entwicklung und Ausübung göttlicher Fähigkeiten im Menschen«, wie das Dr. med. Joseph Rhodes Buchanan um 1842 formuliert hatte. Oder war das erst 1848, wie Gottes Homepage behauptet? Wie dem auch sei, Natalia, meine heilige Mutter, befasste sich mit dem menschlichen Ahnungsvermögen und erforschte den Siebten Sinn. In Trance versuchte sie, mit der Seele zu messen und dadurch verborgene Informationen aus der energetischen Abstrahlung von Dingen und Lebewesen zu gewinnen. Für ungelehrte Ohren mag das recht geheimnisvoll oder gar hochgestochen klingen, doch im Grunde war der Vorgang nicht viel komplizierter als, sagen wir, die Zubereitung von Sauerampfersuppe auf einem Planeten, auf dem es Sauerampfer in Hülle und Fülle gibt. Man musste nur einen Gegenstand mit den Händen berühren, die Augen schließen und seiner Intuition folgen. Das allein war der Trick bei der Sache.

Am Anfang ihrer wissenschaftlichen Laufbahn hatte sie sich auf Steine, Ausgrabungsfunde und Fossilien spezialisiert. Obwohl sie nichts, aber wirklich gar nichts von den zu untersuchenden Gegenständen wusste, konnte sie beinahe fehlerfrei feststellen, woher sie stammten und welche Geschichte sie hatten. Später, als wir schon in Westeuropa lebten, konzentrierte sie sich auf Objekte aus der Zukunft und aus parallelen Welten, was damals offiziell als moderne Hexerei galt, doch gleichzeitig staatlich subventioniert wurde. Die Sensitivität der sogenannten Alpha-Gehirnwellen war bei meiner Mutter besser ausgeprägt als bei anderen Erdlingen, und die rechte Gehirnhemisphäre, die alles ohne Raum- und Zeitbegrenzung wahrnimmt, funktionierte bei ihr stets auf vollen Touren. Eine bemerkenswerte Eigenschaft. Aber auch eine lästige.

Auf dem Gebiet der Psychometrie war Natalia Filipowna Gepin eine akademische Kapazität, wobei ihre Leistungen nicht bei allen unumstritten waren. Oft sah sie sich böswilligen Verdächtigungen ausgesetzt, bei ihren Forschungen ginge es nicht mit rechten Dingen zu und sie würde unverschämt mogeln. Das beeindruckte sie aber nie besonders, und über ihre Gegner, vorwiegend Männer, pflegte sie zu sagen:»Alles nur kleine Murmeltiere! Dazu mit unreiner Haut und noch nie richtig durchgefickt!« Ja, wenn Natalia Filipowna Gepin, meine heilige Mutter, schimpfte, dann ging es meist unter die Gürtellinie, was ihr nicht nur ihre Feinde, sondern auch ihre Freunde vorwarfen.

Doch der Behauptung, sie sei männerfeindlich gewesen, wie sie auf Gottes Homepage zu finden ist, möchte ich energisch widersprechen. Sie liebte Männer sehr. Ohne Männer würde das Leben auf der Erde zu einem erloschenen Vulkan schrumpfen, bemerkte sie oft, und sie würde lieber auf der Stelle ins Gras beißen, als in einer schwanzlosen Welt ihr elendes Dasein zu fristen. Bis ins hohe Alter konnte sie sich immer zwei oder zuweilen sogar drei Liebhaber auf einmal leisten. In puncto Sex und Gefühlsleben war sie genauso unersättlich wie in ihrer Wissbegierde. Diese Begabung habe ich nicht von meiner heiligen Mutter geerbt. Ich glaube, ich bin frauenfeindlich. Seit Jahrzehnten genügt mir eine einzige Geliebte, meine allerschönste, meine runderneuerte Freyja.

Über die akademischen Erfolge von Natalia Filipowna Gepin könnte man Bücher schreiben. Das will ich aber nicht tun. Ich beschränke mich und erwähne nur das Spektakulärste: Sie war zum Beispiel diejenige, die herausfand, was sich am 30. Juni 1908 tatsächlich im sibirischen Wald in der Tunguska-Region abgespielt hatte, nämlich die Notlandung einer intergalaktischen Antifähre. Nach der Reparatur war die Fähre weitergeflogen, in Richtung Niebo, dem Heimatplaneten der Himmelblauen. Heute gehört diese Entdeckung zur Klassik der modernen Wissenschaft. Doch damals, als es bekannt wurde, gab es einen großen Aufschrei des Entsetzens unter den sogenannten Spezialisten. Ochsen hat es schon immer bei uns gegeben, so viele wie heute Schnee auf Madagaskar.

Natalia gehörte auch zum Reykjavik-Team, das Ende der Sechziger der vorletzten Epoche des Nichtregenbogens die von den Amerikanern gebrachten Mondartefakte untersuchte und feststellte, dass sie aus der Monani-Zeit stammen, der Blütezeit einer großen Zivilisation auf der dunklen Seite des Mondes. Das war die allererste von Menschen entdeckte außerirdische Kultur. Ich brauche nicht zu erwähnen, dass bis zur Landung der Niebieskis auf unserem Planeten der Befund des Reykjavik-Teams unter Verschluss gehalten wurde. Das hat die Menschheit bestimmt nicht klüger gemacht!

Natalias Beiträge zur Lösung des Rätsels der Pyramiden der Himmelblauen im früheren Ägypten und zur Ortung von Atlantis sind heute so bekannt und geschätzt, dass ich sie gewiss nicht extra erwähnen muss. Die Niebieskis haben ihr dafür postum einen Planeten geschenkt, den sie, wie könnte es anders sein, Gepin nannten. Schade, dass ich diesen Planeten nicht erben durfte. Er ist unbewohnt, aber bewohnbar. Es wäre wirklich schön, etwas auf Lebenszeit Geliehenes im All zu haben. Und Freyja, sie würde sich darüber riesig freuen! Einmal auf Gepin zu leben ist ihr sehnlichster Wunsch. Da lässt sich aber nichts machen, denn weil es so viele Geklonte unter uns gibt, erlauben die Gesetze es nicht, von den Verwandten ersten, zweiten und dritten Grades zu erben. Um eine Erlaubnis zu bekommen, von einem Nichtverwandten zu erben, oder um einen Anteil aus dem allgemeinen Erbentopf zu bekommen, muss man zuerst eine ausführliche Bewerbung schreiben, die zweihundertfünfzehn LCD-Seiten umfasst. Dann beginnt das Lotteriespiel und die Handlanger der Niebieskis können ihre krummen Touren reiten.

Im Mai 1970 erhielt meine Mutter einen Knochensplitter zur Begutachtung. Er stammte angeblich aus einem Kurgan, einem Hügelgrab. Ein Begleitbrief suggerierte, es würde sich um die Überreste eines Skythen-Königs handeln, dessen Ruhestätte gerade von einer archäologischen Expedition in der Tuwinischen Republik geöffnet worden sei. Das hätte sie eigentlich nachdenklich stimmen sollen, denn normalerweise erhielt sie vor ihren psychometrischen Untersuchungen keine Anweisungen, keine Details.

Gemäß den Vorschriften legte sie den Knochensplitter auf die Hand und schloss die Augen, wie sie es in ihren noch unveröffentlichten Memoiren beschreibt. Anfangs spürte sie nichts, doch dann, während der zweiten Sitzung, sah sie plötzlich Bilder, die mit Skythen, einem asiatischen Reitervolk, so wenig zu tun hatten wie Gerichte mit Gerechtigkeit. Sie verfiel in Trance und redete ununterbrochen, vier Stunden lang. Alles, was sie von sich gab, wurde mit einem Magnettongerät und zusätzlich stenografisch durch ihre Sekretärin aufgenommen.

Am nächsten Morgen war ihre Sekretärin verschwunden, genauso wie das Stenogramm und das Tonband mit der Aufnahme, und sie bekam Besuch von zwei Herren in schwarzen Ledermänteln. Sie befahlen ihr, sie unverzüglich in die Aleksandr-Grin-Straße zu begleiten, wo sich das Komitee für Staatssicherheit befand. Die Gespräche, die sie dort gemeinsam führten, müssen sehr aufschlussreich gewesen sein, denn meine Mutter konnte erst sechs Monate später nach Hause zurückkommen, gelb im Gesicht und dünn wie ein Blin. Kurz danach zogen wir um, sechstausend Kilometer nordöstlich von unserer Stadt entfernt, in ein Dorf, das Kaliskoje hieß. Man schickte uns also in die Verbannung. Heute verfrachtet man Unpersonen und abtrünnige Klone auf Planeten, die in der siebten Dimension liegen, was ich persönlich für eine Verschwendung öffentlicher Mittel halte. Damals begnügte man sich mit einem Nest am Rande der Kälte. Es war wirksamer, umweltfreundlicher und vor allem billiger.

Die neue Arbeitsstelle gefiel Natalia überhaupt nicht. Sie war nicht daran gewöhnt, mit »uszanka«, einer Mütze mit Ohrenklappen, in »walonki«, Filzschuhen, und mit »fufajka«, einer warmen, wattierten Joppe bekleidet durch einen Urwald zu streifen, dazu mit einer Riesenaxt in den Händen, die eines Trolls würdig gewesen wäre. Ich vermute, sie gab die schlechteste Holzfällerin ab, die die sibirische Taiga je gesehen hatte.

Schließlich kam es, wie es kommen musste: Die Dorfbewohner hatten von Natalias Begabung Wind bekommen. Und sie kamen zu uns ins Haus, anfangs einzeln, heimlich, im Schutz der Dunkelheit, später furchtloser und in Scharen. Natalia las aus den ihr mitgebrachten Gegenständen wie in einem Buch. Sie wusste, wo sich die gesuchten Familienangehörigen befanden, wer von ihnen noch lebte, und wer im Moor versunken oder auf andere Art und Weise umgekommen war. Sie konnte voraussagen, wann die Miliz kommen würde, um die Holzbestände zu kontrollieren oder um eine Schwarzbrennerei hochzunehmen. Bald musste meine heilige Mutter nicht mehr in den Wald gehen, um Bäume für ein Linsengericht zu töten. Sie wurde zu einer Institution. Wir lebten wie Krapfen in kreatonischer Butter, wir schwammen im Fett.

Ein unbedarfter Leser könnte jetzt fragen: Alles schön und gut, aber warum hatte man Natalia Filipowna Gepin überhaupt verbannt? Was hatte sie eigentlich angestellt? Womit hatte sie die damaligen Machthaber so erzürnt, dass sie solche Maßnahmen ergriffen? Darüber verschwendet Gottes Homepage kein Wort.

Natalias und dadurch auch meine Verbannung beruhte auf einem schlechten, wenn nicht makabren Scherz, den sich jemand erlaubt hatte. Dieser Jemand, der übrigens schnell ermittelt und noch schneller bestraft wurde, hieß Gennadij Karotin. Er arbeitete als Präparator im Lenin-Mausoleum, einem monumentalen Grabmal, eines der neunzehn Weltwunder, das zu jener Zeit am Roten Platz in Moskau stand und heute die Neustadt von Buenos Aires als Begräbnisstätte des Dritten Sohnes ziert.

Der Knochensplitter, den meine Mutter zur Begutachtung zugesandt bekommen hatte, stammte nicht von einem Skythen-König, sondern von der kleinen Zehe Wladimir Iljitsch Lenins, genauer gesagt, von seiner einbalsamierten Leiche. Vielleicht wollte Gennadij Karotin meine heilige Mutter vor allen Wissenschaftlern bloßstellen, vielleicht hatte er nur aus Neugier gehandelt, vielleicht aus Neid – was weiß ich. Jedenfalls hat ihm sein Handeln das gebracht, was kein Mensch verdient und dennoch immer gratis bekommt: den Tod. In Karotins Fall ging es um zu viele Beruhigungstabletten auf einmal, die er eines Abends in einer Regierungsheilanstalt für psychisch Kranke zusammen mit zehn Litern Joghurt-Kognak-Petersilie-Mix zu sich nahm. Wie es ihm möglich war, eine solche Menge an Flüssigkeit herunterzubekommen, und vor allem, wo der ganze Joghurt herkam, wird für immer ein Geheimnis bleiben.

Während der vierstündigen Trance hatte Natalia Informationen über die Herkunft, das Leben und das Hinscheiden von Lenin, dem Dritten Sohn, zu Protokoll gegeben, die einzig wahre Geschichte, die wir alle heute so gut kennen. Man darf sich aber nicht wundern, dass diese Botschaften damals unglaubwürdig erschienen und auf Ablehnung stoßen mussten. Die Welt war noch nicht so weit, der Wahrheit ins Auge zu sehen. Den Dritten Sohn hielt man damals für einen Sterblichen, einen großen Revolutionär, der 1917 mit deutscher Hilfe in einem Zug voller Gold nach Petrograd gefahren war, um in Rossija eine Weltrevolution anzuzetteln, was ihm auch beinahe gelungen wäre, wenn er nicht ein Jahr später durch eine Frau getötet und durch einen Doppelgänger, der noch sechs weitere Jahre auf der Erde lebte, ersetzt worden wäre. Keiner ahnte damals, dass der Dritte Sohn einfach von seinem Vater abberufen wurde und zu den Sternen zurückkehren musste, um eine wichtige Rebellion auf Niebo vorzubereiten, den uns allen bekannten Aufstand der Kleinen Schwestern, der den Anfang des Regenbogenzeitalters auf Niebo markiert. Nach Lenins Verschwinden fiel die Macht in Rossija in unberufene Hände, was zu Chaos, Mord, atomaren Versuchen und Wodka mit Karbid führte. Das alles sind aber olle Kamellen, wie man zu sagen pflegte, als auf der Erde noch Kamille angebaut wurde.

Drei Jahre lebten wir in der Verbannung, bis eines Morgens, es war September, auf der Wiese in der Nähe unseres Hauses ein Doppeldecker landete. Ein Zivilist in einem braunen Herbstmantel stieg aus und wir bekamen eine Viertelstunde, um unsere Habseligkeiten zusammenzupacken. Nach fünf Minuten waren wir fertig.

Das Flugzeug brachte uns an den Rand eines Städtchens, dessen Name uns unbekannt blieb. Dann fuhren wir in einem als Rettungswagen getarnten Moskwitsch zum Bahnhof, wo ein Zug auf uns wartete. Nur ein Waggon war an die Lokomotive gekoppelt. Vor dem Waggon standen Soldaten mit Maschinengewehren und rauchten Selbstgedrehte aus Machorka. Ihr Kommandant kam heraus, redete kurz mit dem Zivilisten und nahm eine schwarze Tasche in Empfang. Die sowjetische Regierung habe uns großzügig diese Reise spendiert, sagte der Zivilist mit einem breiten Lächeln, bevor er sich mit einem Wink verabschiedete und verschwand. Der Kommandant machte uns ein Zeichen, dass wir einsteigen sollten und wir befolgten seinen Befehl.

Eine Woche später hielt der Zug vor einer Brücke und wir stiegen aus. Der Fluss, der unter ihr strömte, hieß Bug. Er führte gelbes Wasser, was mir merkwürdig und bedrohlich erschien. Meine Mutter nannte mich Angsthase, als ich ihr das sagte. »Sei ein Mann«, ermahnte sie mich, nahm meine Hand und zog mich mit. Ich wehrte mich nicht. Mit gesenktem Kopf ging ich hinter ihr her wie ein zur Schlachtbank geführtes Lamm.

Zu Fuß überquerten wir die Landesgrenze. Keiner winkte uns zum Abschied, keiner empfing uns mit Brot und Salz, wie das damals der Brauch war.

Wir landeten im Nirgendwo. Wir landeten auf dem Mond. Wir waren in der Volksrepublik Polen.

❯ Die polnische Episode

Per Anhalter fuhren wir in die nächstgelegene Stadt. Noch heute taucht manchmal vor meinen Augen der Mann auf, der uns damals mit einem Kleinlaster der Marke Żuk, zu Deutsch Käfer, mitgenommen hat. Ich sehe ihn, wie er genüsslich an einer »Sport«-Zigarette ohne Filter zieht und wie aus seinem Mund Rauchringe aufsteigen, die sich ineinander verfangen, bevor sie sich in Luft auflösen. Ich sehe, wie er sich über das schwarze Riesenlenkrad beugt und lacht, gelbe Zähne mit schwarzen Löchern zeigend, sehe, wie er mir zuzwinkert und wie er verstohlene Blicke auf meine Mutter wirft.

Was mich während der Fahrt wunderte, war die Tatsache, dass er unsere Geheimsprache kannte, die Sprache, die ich und meine Mutter benutzten, wenn wir nur unter uns waren oder nicht wollten, dass andere uns verstehen. Er sprach nämlich Polnisch. Das machte ihn mir sehr sympathisch.

Natalia war da anderer Meinung. Nachdem wir ausgestiegen waren, machte sie mir eine Szene und sagte, dass ich zu offen und zu freundlich mit diesem Lenkradproleten gesprochen hätte; in Zukunft sollte ich lieber auf Quasseleien mit Fremden verzichten und den Mund halten. Als ich sie nach dem Warum fragte, erklärte sie, die Polen seien nur in einem gewissen Sinne unsere Landsleute und deshalb mit Vorsicht zu genießen. Wir sprächen zwar ihre Sprache, doch wir seien mit ihnen nur sehr, wirklich sehr entfernt verwandt, und ein Pole könne genauso heimtückisch und gefährlich sein wie ein Sibirischer Tiger. Das kaufte ich ihr nicht ab, doch ich schwieg, um sie nicht zu reizen.

Wir hatten keinen müden Rubel mehr in den Taschen, alles, was wir besaßen, hatten wir im Zug dem Kommandanten abgeben müssen. Doch selbst wenn wir noch einen Rubel gehabt hätten, so hätte uns das nichts genutzt, die offizielle Währung in Polen hieß Zloty und die inoffizielle, jedoch viel wichtigere und kaufkräftigere US-Dollar.

Zu Fuß gelangten wir schließlich zur nächsten Menschenansiedlung, keine zehn Kilometer weit entfernt. Eine frühherbstliche Sonne schielte durch die Wolken auf die Kartoffelfelder. Wir sangen fröhliche Lieder. In der Ferne hörte ich Elefanten trompeten, die bestimmt zu einem Wasserloch eilten. Meine Mutter aber lachte und sagte, in Polen gebe es keine Elefanten, das seien nur gewöhnliche Kühe. Ich glaubte ihr nicht. Die Volksrepublik Polen war für mich ein exotisches Land, und in einem exotischen Land müssten doch exotische Tiere leben.

Kurz vor dem Dorf nahm uns ein Fuhrwerk mit. Der Bauer, ein kleinwüchsiger Mann mit struppigem Haar und einem Schnauzbart von der Größe eines Schiffstaus, fragte uns, wohin es gehe, worauf meine Mutter antwortete: »In die Hauptstadt.« Nach kurzem Gespräch erklärte er sich überraschend bereit, uns unter die Arme zu greifen. Das machte meine Mutter stutzig, aber sie ließ sich nichts anmerken. Zustimmend nickte sie mit dem Kopf.

Der Bauer brachte uns zu seinem Schwager, der in einem PGR, einem »Volkseigenen Gut«, arbeitete. Ohne den Betriebsleiter um Erlaubnis zu fragen, lieh sich der Schwager ein Fahrzeug aus, einen Traktor, eine Mordsmaschine, die furzende Geräusche von sich gab und die atemberaubende Geschwindigkeit von dreißig Kilometern pro Stunde erreichen konnte. Er fuhr uns damit drei Dörfer weiter. Es war ein großes Dorf mit einer Kirche. Als er dort Halt vor der Milizwache machte, packte mich Natalia an der Hand, schrie auf Russisch »Nichts wie weg von hier!« und wir nahmen die Beine unter die Arme. Erst mitten in einem Birkenwald holte uns der Traktorist ein und fragte, was das Ganze solle, wir bräuchten keine Angst zu haben, der Schutzmann sei sein Schwager, er würde uns schon nicht beißen. Nach einigem Hin und Her kehrten wir mit ihm in das Dorf zurück.

Als der Milizionär uns auf der Wache erblickte, setzte er sofort seine Mütze und eine offizielle Miene auf. Die Mütze war blau und vorne mit einem silbernen Adler verziert. Sie gefiel mir, weil sie mich an den weiten Himmel erinnerte. Der Milizionär hörte aufmerksam zu, was ihm sein Schwager zu sagen hatte, räusperte sich einige Male und stellte ein paar Fragen, die meine Mutter mit zitternder Stimme beantwortete. Dann nahm er seinen Himmel mit Adler ab und legte ihn sorgfältig auf den Schreibtisch. Er zwinkerte mir zu und verzog die Lippen zu einem Lächeln, stand dann auf und verschwand im Nebenzimmer. Als er zurückkehrte, trug er in seinen Armen Milch, Honig, Brot und Butter. Der Traktorist öffnete ein Türchen in der Theke und der Milizionär kam auf unsere Seite des Raumes. Er stellte alles auf einen kleinen Tisch, an dem zwei Holzstühle mit Metallbeinen standen, und machte eine einladende Geste.

Natalia Filipowna Gepin sagte, dass wir nicht hungrig seien, wir hätten heute schon gegessen. Das stimmte aber nicht.

Außer unserer eigenen Spucke hatten wir seit drei Tagen nichts im Mund gehabt. Der Milizionär trank einen Schluck Milch, nahm ein wenig Brot, Butter und Honig zu sich und bat uns erneut zuzugreifen. »Wie Sie sehen, lebe ich noch«, sagte er. »Es ist nicht vergiftet.« In dem Moment fing meine heilige Mutter an zu weinen. Und ich weinte mit. Der Milizionär langte in seine Hosentasche und gab uns ein graugelbes Schnupftuch. Ganz sauber war es nicht, was aber keine Rolle spielte, da wir von seiner Geste völlig überwältigt waren.

Nachdem wir alles aufgegessen hatten, sagte der Milizionär, dass es bald dunkel werde, und da die Lichtmaschine in seinem Wagen nicht funktioniere, könne er uns erst morgen nach Warschau fahren. Wenn wir wollten, könnten wir bei ihm übernachten. Darüber würde sich seine Frau freuen, sie möge Gäste sehr.

Der Milizionär schloss die Wache ab und wir gingen zu ihm nach Hause. Er wohnte in einem eingeschossigen Haus mit einem Dach aus Wellblech, gleich bei der Kirche. Seine Frau klatschte vor Freude in die Hände, als sie uns erblickte. Sie ging sofort in die Küche und machte uns ein warmes Essen. Wir wollten sie nicht beleidigen, deshalb aßen wir so viel, wie wir nur konnten. Der Traktorist und der Milizionär tranken Wodka und erzählten dabei lustige Geschichten. Wir lachten viel und fühlten uns sehr wohl. Dann musste der Traktorist uns verlassen, weil er zu seiner Familie zurückwollte. Alle gingen nach draußen, um ihm beim Abschied zuzuwinken. Ratternd verschwand seine Maschine in der Dunkelheit.

Wir kehrten ins Haus zurück und gingen schlafen. Trotz unserer Widerrede legte uns die Hausherrin in ihr Ehebett. Zum ersten Mal schlief ich unter einer mit Gänsefedern gefüllten Bettdecke. Wie in einem Nest. Ich träumte von meinem Vater, der einen Adlerkopf hatte und mir in einer unbekannten Sprache etwas mitteilen wollte. Seit langer Zeit hatte ich seine Anwesenheit nicht mehr so stark gespürt. Am nächsten Morgen fuhren wir mit dem Milizwagen weiter. Doch diesmal stand unsere Reise unter einem ungünstigen Stern. Nach etwa vierzig Kilometern gab unser Fiat 125p seinen sozialistischen, nach italienischer Lizenz hergestellten Geist auf, ausgerechnet mitten auf der einzigen Kreuzung in der Umgebung. Der Milizionär rastete aus. Ein paar Mal trat er schreiend mit dem Fuß gegen das Auto, um es zu bestrafen, fiel dabei um und verletzte sich leicht. Als er wieder auf die Beine kam, schoben wir den Fiat gemeinsam an die Seite. Erst gegen Mittag kam Hilfe, nicht aber für den Milizionär, sondern für meine Mutter und mich. Ein Kipper, voll beladen mit Schutt, fuhr uns in die nächste Stadt. Er setzte uns direkt vor dem Bahnhof ab.

Als der Zug kam, stiegen wir ein und machten uns auf die Suche nach einem Schaffner. Wir fanden ihn in seinem Dienstabteil. Meine Mutter erklärte ihm, warum wir kein Geld hätten, um Fahrkarten zu kaufen. Er wollte nur wissen, wohin wir wollten, und erlaubte uns in seinem Abteil zu bleiben. Gegen Abend erreichten wir den Hauptbahnhof in Warszawa, der Hauptstadt der Volksrepublik Polen.

Ständig nach dem Weg fragend kämpften wir uns durch die Stadt, und drei Stunden später saßen wir auf der Couch in der Wohnung der Familie Nuczajew. Vor uns standen Gläser mit Tee, Teller mit Bigos und ein Berg von mit Wurst und Käse belegten Broten.

Meine heilige Mutter kannte Herrn Nuczajew schon lange. Er beschäftigte sich mit Psychometrie und sie hatten früher gemeinsam an einigen Projekten gearbeitet. Frau Nuczajew, eine schöne, vollbusige Frau mit breiten Hüften und dem Lächeln eines Pioniermädchens, war für mich interessanter. Ich unterhielt mich mit ihr, während meine Mutter und Herr Nuczajew bis spätnachts Zukunftspläne schmiedeten.

Nuczajews Wohnung bestand aus einer Küche, einem winzigen Bad und zwei kleinen Zimmern, von denen uns eines zur Verfügung gestellt wurde. Besonders beeindruckt war ich von der Küche. Man nannte sie »blinde Küche«, weil sie kein Fenster hatte. Die polnische Form von Sozialismus zeichnete sich in dieser Periode dadurch aus, dass in allen Hochhäusern die Küchen fensterlos waren. Eine fortschrittliche Idee, wenn man an all die unterirdischen Bunker denkt, die die Menschen im Laufe ihrer Entwicklung und insbesondere nach der Landung gebaut haben. Doch in gewisser Weise auch eine tödliche: Sie erwies sich als Sackgasse und versetzte schließlich dem Sozialismus den Todesstoß, weil die Menschen die Sonne sehen wollten, während sie ihre Fleischsuppe zubereiteten.

Gottes Homepage nach waren »blinde Küchen« ein Exportschlager aus der Sowjetunion, mit dem alle damaligen sozialistischen Länder beglückt wurden, was allerdings von den heutigen Machthabern über Rossija heftig bestritten wird. Mehrmals wollten sie schon beim Galaktischen Rat das Streichen der Stelle über »blinde Küchen« auf der Homepage Gottes erzwingen. Dass sie den Rat mit dem Webmaster Gottes verwechseln ist eine Sache, die andere aber ist, dass sie vom Fälschen besessen sind, genauso wie ihre Vorgänger. Ja, sich für Taten und Untaten von Urahnen zu schämen oder nicht zu schämen, nimmt bei manchen Völkern merkwürdige Formen an. Der Umgang mit der Vergangenheit war unter den Menschen schon immer eine heikle Sache. Warum aber haben die Geklonten diese Eigenschaft geerbt? Warum sind sie nicht frei davon?

Im Übrigen soll der frisch geklonte Zar von Rossija, den noch keiner zu Gesicht bekam, nach Angaben seines chinesischen Herstellers ein stark verbessertes und unverwechselbares Modell sein. Er sehe jetzt genauso gut aus wie der Dritte Sohn. Nun weiß ich endlich, was die Chinesen meinen, wenn sie über gut aussehende Kerle sprechen, ebenso weiß ich, welchen Zombie sie zum Leben erweckten und was die Bürger von Rossija demnächst erwartet.

Wir wohnten und aßen bei Nuczajews in Warszawa knapp ein Jahr lang, ohne je dafür zu bezahlen. Sie waren ungewöhnliche Erdlinge, die ihr letztes Hemd hergegeben hätten, um zu helfen. In dieser Zeit und auch später noch träumte ich oft von Frau Nuczajew. Sie schien mir die schönste Frau der Welt zu sein. Meine Welt war damals klein, so klein wie die Wohnung, in der wir lebten, und heimlich onanieren konnte ich sowieso nur dann, wenn ich in den Keller geschickt wurde, um Kartoffeln oder Weckgläser zu holen. Von meiner Mutter träumte ich nie. Von Herrn Nuczajew ebenfalls nicht.

1974 zogen wir nach Südpolen, nach Kraków, wo Natalia Filipowna Gepin, meine heilige Mutter, den Schwarzen Stein, die Energiequelle auf dem Schlossberg Wawel, erforschte und nach einem geheimen Einstieg in das Erdinnere suchte. Wir lebten dort fünf Jahre, dann mussten wir unserem Nomadendasein wieder gerecht werden und weiterziehen.

Es konnte nur gen Westen gehen.

› Gut und Böse in Deutschland

Mit neunzehn sah ich zum ersten Mal Berlin. Es war Sommer. Berlin war größer als jede Stadt, die ich bis dahin zu sehen bekommen hatte. Berlin war so riesig, dass man es nach dem vergessenen Kurzkrieg teilen musste, um es überhaupt verwalten zu können. Aus Sicherheitsgründen teilte man auch das dazugehörige Land in zwei Zonen. Wir lebten in West-Berlin und dadurch gehörten wir zu den Guten.

In Ost-Berlin lebten die Bösen. Zwanzig Jahre nach unserer Ankunft erwiesen sich diese Bezeichnungen als völlig falsch. Die Guten überfielen die Bösen, annektierten ihre Stadtviertel und ihr ganzes Land, sie raubten den Menschen ihre Illusionen, ihre Währung und wurden prompt zu den Bösen. Es bildeten sich zwei Lager: Ossis lebten im Osten und Wessis im Westen. Jedes Lager hielt das andere für Pest und Cholera. Die Ossis flohen scharenweise in den Westen, weil sie Arbeit suchten und für Wessis gehalten werden wollten. Man beschäftigte sie hauptsächlich in Bereichen, die für Sklaven vorgesehen waren. Man erlaubte aber, dass sie Bücher über ihr Leid schrieben. Und das taten sie. Leidenschaftlich.

Dann, viele, viele Sommer später, stellte man plötzlich fest, dass alle Städte überwiegend von Menschen ausländischer Herkunft besiedelt waren, nur auf dem Land gab es noch isoliert lebende Gruppen der Ureinwohner. Die Fremden kämpften um die Vorherrschaft, wobei die Turkvölker am erfolgreichsten von allen waren. Offiziell lag die Verwaltung noch in deutschen Händen, doch keiner wusste so genau, wer tatsächlich die Republik regierte. Man munkelte so allerlei, zum Beispiel, dass Iraner und Araber alle Banken, insbesondere die Deutsche übernommen hätten und dass die Nagas im Reichstag aufgetaucht seien und die Gestalt von Abgeordneten angenommen hätten. Daran glaubte ich aber nicht, weil die Reptilienschwänze der Nagas unmöglich vor all den Fernsehzuschauern zu verstecken gewesen wären. Dann wurde ein Vietnamese zum Kanzler gewählt und Deutschland war an einem Wendepunkt angelangt, das letzte Tabu war gebrochen.

Zurück aber zu 1979, zu dem Jahr also, als ich neunzehn war und mit meiner Mutter in West-Berlin auftauchte. Wir gehörten zu einer geduldeten Minderheit: Wir waren zwei herrenlose Köter mit Nansens Passersatzdokumenten. Wo ein Hund ist, gibt es auch einen Knochen. Man gab uns eine Fünfzimmerwohnung, für die wir keinen müden Pfennig zu bezahlen brauchten. Meine Mutter bekam Arbeit in einem Forschungsinstitut am Rande der Stadt und ein Chauffeur fuhr sie in einer schicken Limousine jeden Tag dorthin. Sie arbeitete an einem Regierungsprogramm, bei dem es offiziell um Wiederverwertung von Blechdosen und Plastikflaschen ging, dem größten Gut und gleichzeitig dem größten Problem der damaligen Germanen. Inoffiziell ging es natürlich um viel mehr.

Im Spätsommer musste ich zur Schule. Mein polnisches Abitur wurde nicht anerkannt und man hatte mir nahe gelegt, die Prüfung noch einmal zu machen. Das wollte ich auch tun, doch zwei Monate später hatte ich mich zu einem folgenreichen Schritt entschlossen: Weil ich große Schwierigkeiten hatte, die neue Sprache zu verstehen und mich dadurch gekränkt fühlte, schmiss ich die Schule und fand eine Anstellung beim städtischen Friedhof.

Meiner Mutter gefiel es nicht, dass ich als einfacher Hilfsarbeiter beschäftigt war. Es wäre ihr lieber gewesen, wenn ich Chemie oder Physik studiert hätte. Doch ich stellte mich quer und blieb standhaft. Ich hielt es für meine Bestimmung, in dem Land, in dem ich unfreiwillig gelandet war, fremde Gräber zu pflegen, fremden Rasen zu mähen, fremde Bäume und fremde Büsche zu beschneiden und sie mit Wasser zu versorgen. Um meine Mutter zu besänftigen, erklärte ich ihr, dass ich auf diese Weise dem Land näherkommen wolle. Das war gelogen. Ich redete dummes Zeug. Ich war ein Spinner. Der Spinner mit der Gießkanne, wie mich die Arbeitskollegen nannten.

Zur gleichen Zeit fing ich an zu rauchen, Zigaretten ohne Filter selbstverständlich. Sie schmeckten mir überhaupt nicht, doch ich rauchte nicht wegen des Geschmacks, sondern wegen der Übung. Ich übte, mit dem Mund Rauchringe zu bilden. Ich wollte ein richtiger Mann und Pole sein. Besonders erfolgreich war ich dabei nicht. Dann ließ ich mich von Natalia erwischen. Sie war entsetzt. Sie könne nicht begreifen, warum ich ihr das antäte, sagte sie, ich bräche ihr das Herz. Genau das war meine Absicht gewesen. Es hatte sich also gelohnt zu leiden. Aus stinkenden Stängeln hatte ich meine süße Rache geschmiedet.

Ich wollte zurück nach Polen, ich wollte zurück nach Kraków zu meinen Freuden. In Berlin hatte ich nichts zu suchen. In dieser Stadt war ich so überflüssig wie ein Zwölfbeiner bei der Beerdigung eines zweibeinigen Kropfes, wie man das heute so nonchalant sagt, obwohl keiner weiß, was das eigentlich bedeutet. Doch ich konnte meine Mutter nicht verlassen. Jedenfalls nicht in diesem Moment. Ich liebte sie zu sehr und ich brauchte sie. Sie brauchte mich ebenfalls. Für meine Mutter und nur für sie bin ich also im alten Germanien geblieben. Und heute bereue ich das auch nicht mehr.

Es vergingen Monate, es vergingen Jahre. Die Erde drehte sich um ihre Achse und ich drehte mich um meine. Inzwischen beherrschte ich die Landessprache so gut, dass ich ohne Probleme lesen konnte. Und ich fand großen Gefallen daran. Ich las viel, vorwiegend Sachbücher. Romane mochte ich nicht. Es gibt wirklich bessere Methoden, sich selbst und andere Menschen hinters Licht zu führen, sage ich mir noch heute. Poesie mochte ich dagegen sehr, besonders die klassische. »Die Würze des menschlichen Daseins steckt in der Lyrik«, pflegte meine heilige Mutter zu sagen. »Nur Lyrik vermag es, uns unwürdige Erdlinge vom Zauber der Erde zu erlösen.« Sie las gerne russische und polnische Lyriker und vergötterte Cyprian Kamil Norwid, den sie für den größten Visionär und Dichter aller Zeiten hielt. Ich war in diesem Fall anderer Meinung und wir stritten oft. Für mich war Norwid nur ein begnadeter Starrkopf, der sich weigerte, verständlich zu schreiben, und seine Visionen hielt ich für Ammenmärchen. Was mich bei ihm allerdings immer aufs Neue beeindruckte, war die Art, wie er unsere Dimension verlassen hatte. Er wurde aus einem Armenhaus in Paris mitsamt seinen Aufzeichnungen von einem Raumschiff voller Engel abgeholt. Sein literarisches Werk tauchte erst viele Jahrzehnte später in Europa wieder auf und löste eine Welle der Begeisterung aus. Keiner ahnte damals, dass Norwids Literatur durch leere Koordinationsfelder nach Polen gelangt war.

Kurz nach dem Mauerfall, einem feierlichen Akt, in dem die Zerstörungswut des einheimischen Volkes prägnant zur Geltung gekommen war, verlor ich meine Arbeit am Friedhof. Man hatte mir vorgeworfen, ich hätte mich nicht gut genug um die Gräber gekümmert. Was für eine phantasielose Beschuldigung! Von wegen nicht gut gekümmert! Sie hatten nach einem Vorwand gesucht, um mich loszuwerden, und ihn schnell gefunden. Am gleichen Tag wurde auch meine heilige Mutter entlassen, was man ihr am Telefon mitteilte. In ihrem Fall ging es angeblich um von der damaligen Bundesregierung angeordnete Sparmaßnahmen. Quatsch mit Soße! Sie hatte ihre Nase in die Angelegenheiten anderer Leute gesteckt und sich dabei gehörig die Finger verbrannt. Die wahren Ursachen der Wiedervereinigung, wie man damals die Einverleibung des DDR-Staatsgebietes nannte, sollten nicht ans Licht kommen. Eine unbequeme Zeugin musste weggeschafft werden. Wir hatten sofort unsere Wohnung zu räumen und gemäß einer Anweisung der Bundesregierung nach Hannover ziehen, also in die nächste Verbannung. In die Tundra konnte man uns nicht schicken, weil es damals im ganzen Bundesgebiet noch keine Tundra gab.

In Hannover, der damaligen Hauptstadt des Landes der Niederen Sachsen, wurde uns eine sogenannte Sozialwohnung zugewiesen, was im Klartext bedeutete: Wir mussten ins Ghetto. Das machte uns nichts aus, in Berlin hatten wir schon in einem der Ghettos für Regierungsleute gewohnt. Wirklich stutzig machte uns allerdings die Tatsache, dass wir in ein frisch gegründetes russisches Ghetto ziehen mussten. Man hielt uns aus unerklärlichen Gründen für Russen. Einen Polen für einen Russen zu halten war ein ziemlich sonderbarer Einfall eines offensichtlich nicht ganz dichten Beamten. Was würde wohl heute, sagen wir, ein geklonter Argentinier empfinden, wenn man plötzlich behaupten würde, er sei ein zwölfhändiger Robokker aus Nordgrönland? Natürlich nichts als bitteren Hass gegen die Verpflanzungsbehörde. So habe ich es auch damals empfunden, mit einer Ausnahme: Meine Verpflanzungsbehörde hieß Wohnungsamt.

Meine heilige Mutter hat die Sache viel lockerer als ich genommen. Für sie war es wichtiger, dass wir ein Dach über dem Kopf hatten und dass sie ihren täglichen Tee mit Konfitüre genießen konnte. Mit Erstaunen stellte ich fest, dass sie senil geworden war, sie wollte nicht mehr kämpfen. Als ich ihr das vorwarf, lächelte sie zart und sagte: »Mein lieber Sohn, alle Nationalfragen werden sich schon bald, sehr bald lösen. Und jeder, der an seiner Nation oder seinem Volk festhält, wird sich so blöd vorkommen wie eine Schneeflocke in der Glut der Sonne. Brot und Tee, mehr braucht ein Mensch nicht zum Leben. Ja, das benötigen wir alle, und manchmal ein bisschen Konfitüre. Und jetzt geh und wasch dir bitte die Hände, es ist so weit, der Tee ist fertig.«

»Sie haben dich gnadenlos abserviert«, sagte ich aufgebracht. »Sie haben dich in die sechste Etage eines Wolkenkratzers für arme Schlucker gesteckt und behandeln dich wie den letzten Dreck. Du bist doch eine weltbekannte Wissenschaftlerin! Ihre Almosen sollen sie sich sonst wohin stecken, wir brauchen sie nicht!«

»Beruhige dich, mein Sohn, das alles ist nur Tarnung. Wir haben jetzt einen kürzeren Weg zu den Sternen, vergiss das nicht. Und übrigens, wir können sowieso von Glück reden: Immerhin haben sie uns am Leben gelassen. Dafür sollten wir dankbar sein.«

»Du sprichst wie eine Heilige«, sagte ich.

Sie lächelte schwach und schenkte uns Tee ein.

In der Nacht hörte ich sie weinen.

Am nächsten Morgen entschloss ich mich, den Arbeitsvertrag mit Professor Durda aus Kiew zu unterschreiben. Er schickte sofort einen Spezialisten aus der Ukraine, der mir den Wetterchip einpflanzte. Es tat teuflisch weh, weil der Eingriff ohne Narkose durchgeführt wurde. Doch viel wichtiger war, dass ich das Leid meiner Mutter rächen konnte und ich seit diesem Tag keine Geldnot mehr kannte. Ich ließ mich für mein Herumtreiben und das Sammeln von Informationen gut bezahlen. Die Geldübergaben fanden anfangs auf einem evangelischen Friedhof statt. Die Scheine versteckte man in einem bohnenförmigen Stein, der mit meinem Fingerabdruck gesichert war und durch vorsichtiges Drehen geöffnet werden konnte. Hätte dies allerdings eine unbefugte Person getan, wäre der Stein sofort explodiert, weil er mit einer Minibombe versehen war. Später einigte ich mich mit meinem Führungsoffizier auf eine einfachere und für mich bequemere Methode. Ein Mann, als Postbote verkleidet, kam vierteljährlich vorbei und warf einen dicken Umschlag in meinen Briefkasten.

Nachdem ich mich mit Freyja zusammengetan hatte, bezeichnete sie mich manchmal als Spion oder Auskundschafter. Ich dagegen bevorzugte immer den neutralen Ausdruck Wetterprophet. Dass meine Tätigkeit steuerfrei war, beeindruckte sie als eingefleischte Steuerfachgehilfin nur mäßig. Hin und wieder neigte meine Frau zu starker Untertreibung. Ich nahm ihr das aber nie übel, weil ich sie liebte.

› Frische Zahnpasta

Heute Vormittag besuchte uns September. Er kam mit der Kutsche und brachte Nahrungskapseln und Haushaltssachen mit. Er lachte laut und redete ununterbrochen, während er alles in der Vorratskammer verstaute. Ich half ihm ein wenig dabei. Als ich ihn vorsichtig nach dem Blaucrack fragte, sagte er, dass er es nicht vergessen habe und zeigte mit dem Kinn auf das große Päckchen mit Zahnpastatuben, das ich gerade die Treppe hinaufschleppte.

»Frisch vom Labor, amtlich geprüft, mit Langzeitwirkungssiegel«, erklärte er. »Das Zeug ist besser, als alles, was man bisher produziert hat. Man putzt sich die Zähne und ist für die nächsten vierzig Stunden bedient. Aber bitte nicht übertreiben, höchstens zwei Zentimeter auf die Zahnbürste! Meine Haushälterin, das unbeherrschte Weib, hat sich an einem Abend so gründlich die Zähne geputzt, dass sie eine ganze Tube dabei verputzte. Als sie dann nach zwei Wochen von ihrem Trip zurückkehrte, tickte sie nicht mehr richtig und man musste sie einschläfern lassen. Schade, sie konnte wirklich gut kochen. Ich vermisse ihre Rentierbuletten.«

Ich fragte ihn, ob er mir Zigaretten besorgen könne. Aber mit illegalen Sachen wollte er nichts zu tun haben. »Ich rate Ihnen, lassen Sie die Finger davon«, sagte er. »Das ist einfach zu gefährlich. Als junger Spund habe ich im Fernsehen gesehen, wie man einen Raucher in Frankreich hingerichtet hat. Es war grauenhaft. Bei lebendigem Leibe nahm man ihm seine Lunge heraus und zwang ihn sie aufzuessen. Qualvoll starb er an Vergiftung. Nie im Leben würde ich eine Zigarette rauchen.«

»Wenn Sie das als Kind gesehen haben«, sagte ich, »dann können Sie unmöglich ein dreihundertjähriger Mensch sein.«

September zuckte mit den Achseln.

»Na und«, sagte er, »ich bin ein Klon, der ein Mensch geworden ist. Und das braucht Sie nicht zu wundern. Erzählen Sie mir lieber, warum Sie hierhergekommen sind und was Sie hier eigentlich machen.«

Ich erklärte ihm, dass ich vorübergehend die Rolle eines Schriftstellers angenommen hätte und dass ich an meinen Memoiren arbeiten würde.

September gab sich mit meiner Antwort zufrieden, lächelte verständnisvoll und erwähnte, dass er wisse, was das bedeute und wie schwierig es sei, etwas aufzuschreiben. Auch er habe einmal versucht, seine Erinnerungen zu Papier zu bringen, mehr als eine Seite habe er aber nicht geschafft. Wenn ich wolle, könne er mir diese Seite beim nächsten Mal vorbeibringen. Ihn würde interessieren, was ich von seiner Kritzelei hielte.

Um ihm eine Freude zu machen, stimmte ich zu, wies ihn aber darauf hin, dass es berufsfremden Personen nicht gestattet sei, sich schriftstellerisch zu betätigen, er könne große Probleme mit der Behörde bekommen, schließlich sei er Fuhrmann und kein Erzähler.

Er schreckte auf und lief zu der Kutsche, um neue Päckchen zu holen.

Als wir eine Viertelstunde später mit der Arbeit fertig waren, kam er auf mich zu und sagte: »Sie würden mich aber nicht denunzieren, oder?«

»Habe ich die Wahl?«, fragte ich.

»Die haben Sie!«

»September, Sie wissen doch genau, wie das funktioniert. Wenn ich Sie nicht anzeige, werden Sie mich anzeigen und vor dem Komitee aussagen, ich hätte Sie nicht angezeigt, obwohl ich einen triftigen Grund dafür gehabt hätte. Da würde ich auf der Strecke bleiben, und Ihr kleines Verbrechen würde getilgt.«

»Ich habe Ihnen schon gesagt: Sie haben die Wahl! Ich besorge Ihnen Zigaretten. Einverstanden?« Er reichte mir die Hand.

Ich nickte und drückte sie richtig fest.

»Da wäre noch eine Sache«, sagte er, bevor er die Kutsche bestieg. »In der Kommune liegt eine Beschwerde vor. Ein gewisser Multer, Dr. Isak Multer, hat sie bereits vor einer Woche eingereicht. Unser Kommunevorsteher hatte aber bis jetzt keine Zeit, sich darum zu kümmern. Angeblich haben Sie Ihr Telefon ausgeschaltet und niemand kann Sie erreichen. Wenn das stimmt, dann schalten Sie es bitte sofort wieder ein. Der Vorsteher fährt nicht gerne aufs Land. Er wird immer stinksauer, wenn er seine Stube verlassen muss.«

Als September weg war, holte ich mein Werkzeug, lockerte zwei Schrauben an meiner Hand und schaltete den Daumencomputer ein. Als ich die Schrauben wieder anzog, bebten mir die Hände. Ich dachte an die bevorstehende vierte Runderneuerung und hatte Angst, dass ich es nicht schaffen würde, meine Memoiren zu Ende zu schreiben. Freyja tröstete mich. Lange lag ich in ihren Armen und konnte mich nicht beruhigen. Erst als sie sich auszog und ich den Kopf auf ihren warmen Bauch legte, hörte ich auf, an allen Gliedern zu zittern.

Am Nachmittag rief ich Dr. Multer an und sagte ihm, dass ich Schwierigkeiten mit dem Empfang und Senden von Sprachnachrichten gehabt hätte, jetzt sei aber alles wieder in Ordnung. Er lachte und sagte, dass ein Telefon kein Spielzeug sei und dass ich in meinem Daumen nicht herumstochern solle. Das nächste Mal werde er keine Rücksicht auf mich nehmen und den Vorfall melden.

Dann wollte er wissen, wie weit ich mit meiner Schreiberei sei. Ich antwortete, dass ich einige Probleme gehabt hätte, die aber glücklicherweise behoben seien.

Ich erwähnte zwanzig fertige Seiten, die er noch heute auf seinem Monitor sehen wollte. Ich solle sie verschlüsselt via Kosmonet schicken. Auf keinen Fall dürfe ich aber das doppelte Verfahren mit Schlüssellänge 2048 Bit verwenden, weil das zu gefährlich sei. Darüber hinaus sei bei literarischen Texten gesetzlich das zwölffache Verschlüsselungsverfahren vorgeschrieben.

»Vor Kunstweltraumräubern muss man auf der Hut sein, Herr Gepin! Selbst wenn sie zuweilen schlafen, sie sind immer online.« Darauf sagte ich, dass die Erzählerwohnung leider keinen Kosmonetanschluss habe. Dr. Multer wunderte sich und stellte in Aussicht, sich gleich morgen darum zu kümmern.

Nach dem Abendessen ging ich mit Freyja ins Bad und wir putzten uns gegenseitig die Zähne. Ach, wie aufgeregt wir dabei waren! Wie zwei Teenager.

September hatte nicht übertrieben. Das Zeug war wirklich stark. Wir schafften es gerade noch ins Bett. Während wir uns an den Händen hielten, flogen wir in das Land, in dem wir einst lange gelebt hatten. Es war weit, weit weg.

Es tat gut, es wiederzusehen.

❯ Das Licht ging aus

An einem Abend vor vielen Jahren schauten wir uns die Spätnachrichten an. Es wurde von Unruhen in Polen und Rumänien gesprochen, wo Menschen auf die Straßen gingen und nach Brot, Arbeit und mehr Freiheit riefen. Die Behörden in Brüssel ermahnten die Regierungen beider osteuropäischer Provinzen scharf und drohten mit militärischer Intervention, wenn sich die Lage nicht binnen vierundzwanzig Stunden beruhige.

Doch die Proteste dauerten an, und nachdem die festgesetzte Frist abgelaufen war, landeten die Schnelleingreiftruppen der EU in Warschau und Bukarest. Über die Notwendigkeit dieser Maßnahme schieden sich in Europa die Geister. Freyja und ich hielten sie für übertrieben. Meine Mutter sprach von Unkultur am helllichten Tag und von politischer Vergewaltigung.

Eine Woche später war alles vorbei. Die Regierungen wurden ausgetauscht, die Rädelsführer verhaftet, und die Menschen auf der Straße bekamen für eine Weile alle Konsumwaren umsonst. Da der Aufruf zum Aufstand per Internet und Handy verbreitet worden war, verbot man den polnischen und rumänischen Bürgern per Eilgesetz für unbestimmte Zeit, ins Internet zu gehen und Mobiltelefone zu benutzen. Trotz Repressalien hielt sich jedoch keiner an die Vorschriften. Man benutzte estnische Server, um ins Netz zu gehen, und chinesische Satelliten, um zu telefonieren. Ja, das waren noch zähe und anpassungsfähige Völker, die Rumänen und die Polen. Heute gibt es sie nicht mehr. Sie wurden assimiliert. Manchmal tauchen in den Medien Berichte über hoch in den Karpaten lebende Stämme auf. Man zeigt vermummte Bärenmenschen und behauptet, das seien die letzten Polen oder Rumänen. Man muss aber kein Volkskundler sein, um festzustellen, dass es sich dabei lediglich um verkleidete Magyaren-Klone handelt.

Die erste Bombe fiel auf Tirana in Albanien. Es war der 27. März im Achten Violett und die Bombe war mit Kernsprengstoff geladen. Die Stadt wurde völlig zerstört. Einen Tag danach erlosch das Leben in Prag, Tschechien. Am dritten Tag hörte Berlin in Deutschland auf zu existieren. Keiner wusste, wer dafür verantwortlich war und warum man die drei Atombomben abgeworfen hatte, ebenso wenig wie jemand ahnte, dass gerade der Erste Krieg um die Luft begonnen hatte.

In der darauf folgenden Woche ging es Schlag auf Schlag: In Deutschland wurden München, Frankfurt am Main und Hamburg ausradiert, in Frankreich Paris, Bordeaux, Marseille und Toulouse, in Polen Posen, Warschau und Krakau, in Russland Moskau und Petersburg, in der Ukraine Kiew, Tschortkiw und Dnipropetrowsk, und so weiter.

In Europa ging das Licht aus. Wortwörtlich. Es gab keinen Strom mehr, jedenfalls nicht für die Masse des Fußvolks. Politiker und andere Privilegierte flohen in ihre unterirdischen Bunker, schalteten ihre Generatoren an und machten es sich gemütlich.

In unserer Stadt hörten nahezu alle öffentlichen Einrichtungen auf zu funktionieren, keiner kümmerte sich um die Versorgung der Bevölkerung. Lebensmittel wurden Mangelware und die Preise kletterten in astronomische Höhen. Da durch Hannover zwei Flüsse und ein Kanal flossen, hatten wir genügend Wasser. Wenigstens das, dachten wir. Dann aber ging das Gerücht um, das Wasser sei vergiftet. Panik brach aus. Nach einer Straßenschlacht, die sich junge Türken und Russlanddeutsche mit der Polizei lieferten und bei der es achtundfünfzig Tote zu beklagen gab, wurden in Stadtvierteln mit einem hohen Anteil ausländischer Mitbürger Straßen abgeriegelt und eine Ausgangssperre verhängt. Das nützte jedoch nicht viel. Die Kämpfe gingen weiter. Die Polizei konnte nicht mehr für Ordnung sorgen und zog sich zurück, in die unterirdischen Bunker. Die Bürger verschanzten sich in ihren Häusern und jeder, der eine Waffe besaß, war im Vorteil. Binnen einer Woche stieg die Zahl der Toten auf fünftausend. Dann hörte man auf zu zählen und die Leichen zu entsorgen, man ließ sie einfach in den Straßen liegen. Hannover wirkte wie leergefegt. Vermummte Gestalten, vereinzelt oder in kleinen Gruppen, zogen durch die Stadt, immer auf der Suche nach etwas Essbarem oder nach jemandem, den man töten konnte.

In diesen grausamen Tagen ging es uns im Vergleich zu vielen anderen gar nicht so schlecht. Noch bevor es zu Unruhen in der Bevölkerung kam, hatten wir genug Wasser, Lebensmittel, Kerzen, Akkus und Patronen mit flüssigem Butan in unserer Wohnung gehortet, um mindestens ein halbes Jahr überleben zu können. Natalia, meine heilige Mutter, hatte auf mein Drängen ihr Hochhaus im Ghetto verlassen und war zu uns ins Wohnzimmer gezogen. Erfreulicherweise herrschte in unserem Stadtviertel meistens Ruhe, und nur gelegentlich drangen Plünderer in unsere Straßen ein. Ich schloss mich einer Bürgerwehr an und ging regelmäßig Streife. Da schon von weitem zu sehen war, dass wir gut bewaffnet waren, machten die potenziellen Angreifer in der Regel einen Bogen um uns.

Nur ein einziges Mal versuchten einige, sich mit Gewalt Zutritt zu unserem Haus zu verschaffen. Am frühen Nachmittag kamen sie zu viert. Unser Wachposten hatte sie rechtzeitig bemerkt und Alarm geschlagen. Bei dem Kampf, der anfangs unten vor der Eingangstür und dann im Treppenhaus stattfand, wurde unsere Nachbarin aus der zweiten Etage durch eine verirrte Kugel, die auf das Konto der Verteidiger ging, tödlich verletzt. Nach dem Tod der Frau zogen sich die Vermummten überraschend zurück und tauchten nie wieder auf. Erst beim Begräbnis, dem Freyja und ich am nächsten Tag im Hinterhof beiwohnten, erfuhr ich, dass die Verstorbene Chantal hieß. Das erzählte uns ihre Freundin Sarah, die mich anschließend um eine Pistole bat, denn sie wolle zu ihrer Tante, die in Weststadt lebe. Sich unbewaffnet auf den Weg zu machen, sei reiner Selbstmord. Also gab ich ihr, was sie von mir erbeten hatte, und erklärte ihr, wie die Pistole funktionierte.

In der darauf folgenden Nacht wurden wir durch einen Schuss aus dem Schlaf gerissen. Es war Sarah. Wir begruben sie neben Chantal.

› Karawane gen Osten

Nach dem ersten konventionellen, nur halbwegs gelunge-
nen Bombenangriff auf das Atomkraftwerk Unterweser in
Kleinensiel, Niedersachsen, trommelte Robert »Orenda«
Knoch alle zusammen und wir hielten in der Gartenkolonie
»Rote Bete« ein Geheimtreffen ab. Knoch führte den Vor-
sitz. In der Eröffnungsrede teilte er uns mit, die Landes-
regierung wolle die anderen drei niedersächsischen Atom-
kraftwerke in Stade, Grohnde und Lingen vorsichtshalber
in die Luft sprengen, um zu verhindern, dass sie in falsche
Hände gerieten. Als ob sie je in den richtigen Händen gewesen wären. Wir müssten also handeln, und zwar schnell,
denn diese voreilige und völlig idiotische Maßnahme sollte
bereits am nächsten Tag pünktlich um zwölf Uhr durchgeführt werden. Deshalb entschlossen wir uns zu fliehen.
Hannover schien kein sicherer Ort mehr zu sein.
Ich holte meinen Gaz 67B aus dem Versteck im Wald und
belud ihn mit Lebensmitteln, LH2-Kapseln und Waffen.
Der Beifahrersitz blieb leer, er war für Natalia, meine heilige Mutter, und Freyja vorgesehen.
Als wir am nächsten Morgen bereits sechzig Kilometer weit
entfernt waren, fiel eine Bombe auf unsere Stadt, nur eine
einzige. Es handelte sich, wie sich später herausstellte, um
eine Neutronenbombe. Hätten wir das damals gewusst,
dann wären wir nach ein, zwei Tagen, wenn der radioaktive
Niederschlag abgesunken wäre, in unsere Häuser zurückgekehrt.
Die Neutronenbombe, die heute aus taktischen Gründen
kaum noch zum Einsatz kommt, ist im Grunde nur für Lebewesen gefährlich, Bauwerke und unbelebte Materie lässt
sie unversehrt. Sie funktioniert nach dem Prinzip einer Mikrowelle, wobei kaum Wert auf die Temperatur gelegt wird,

sondern auf möglichst starke Neutronenbestrahlung. Ob man allerdings das Leben aus einem Organismus mit Hilfe von elektromagnetischen Hochfrequenzwellen aussaugt, wie das bei einer Mikrowelle der Fall ist, oder aber dieses mit Neutronenbestrahlung geschieht, bleibt für das Lebewesen egal. So oder so wird es getötet. Ein Mensch stirbt dabei genauso schnell wie eine Karotte. Bei einer Mohrrübe sieht man das jedoch mit bloßem Auge nicht, besonders wenn die Wurzel unter der Erde steckt.

Wir kehrten damals nicht zurück, sondern fuhren weiter, immer weiter gen Osten. Nach unseren Informationen sollte es dort einige Gebiete geben, die von den Luftangriffen verschont geblieben waren. Unterwegs trafen wir auf viele Flüchtlinge, die nach Westen wollten. Wenn es brenzlig wird, wollen die meisten Menschen offenbar immer dort sein, wo sie gerade nicht sind. In dieser Hinsicht ähneln Menschen allen mir bekannten echten Tieren. Geklonte würden sich in der gleichen Situation wie künstliche Tiere benehmen: Sie würden sich im Kreis um eine Energiequelle setzen und auf den Techniker warten.

Robert Knochs Wohnmobil fuhr an der Spitze. Meine Aufgabe war es, zusammen mit zwei anderen Kriegern unsere Karawane im Rücken zu sichern.

Bis Helmstedt verlief die Reise ruhig. Dann aber, kurz nachdem wir die alte deutsch-deutsche Grenze überquert hatten, tauchte auf der Autobahn die erste Straßensperre auf. Es war keine offizielle Sperre. Robert »Orenda« Knoch sprach mit dem Anführer der Räuberbande und nach kurzen Verhandlungen einigten sich die beiden auf eine Maut, auszuzahlen in Naturalien.

Einige Kilometer weiter erwartete uns die nächste Blockade, an der wir wieder um zwei Säckchen Zwiebeln und zwanzig Kohlrabi erleichtert wurden, bevor wir passieren konnten.

Vor dem Berliner Ring mussten wir erneut anhalten. Dieses Mal gingen die Verhandlungen nicht so glatt über die Bühne. Nach einer Weile kehrte Knoch zurück und erklärte, das Räubergesindel würde die Hälfte unserer Lebensmittelvorräte verlangen. Damit waren wir nicht einverstanden. Für einen Umweg hatten wir allerdings auch keine Zeit. Wir entschlossen uns deshalb, einen Warnschuss abzufeuern. Die Freischärler schossen zurück. Darauf holte ich aus meinem Gaz eine Handrakete und stellte mich neben Lesginka. Er schoss zuerst, dann war ich an der Reihe. Die Sperre hörte auf zu existieren. Wir warteten nicht, bis sich die Flammen gelegt hatten, sondern fuhren sofort los.

An der nächsten Straßensperre führten wir keine Verhandlungen mehr. Als unsere Raketen ihr Ziel erreichten und alles in Schutt und Asche legten, gab es auf unserer Seite johlenden Beifall. Freyja kam angerannt, schmiegte sich an mich und küsste mich leidenschaftlich auf den Mund. Ich stand wie gelähmt. In diesem Moment fiel neben uns mit klatschendem Geräusch eine Hand auf die Fahrbahn. Wir duckten uns und schauten nach oben. Der Himmel war bedeckt, doch es waren keine weiteren fliegenden Körperteile zu sehen. Ich half Freyja, in den Wagen einzusteigen, und ging zurück zu der Hand. Sie wirkte künstlich, wie ein Requisit aus einem Spielfilm. Mit einem Fußtritt beförderte ich sie in den Straßengraben.

Erst als ich einsteigen wollte, hat es mich gepackt. Ich lief nach hinten und musste mich übergeben. Freyja tröstete mich. Während der Fahrt hielt sie meine Hand.

Bei Anbruch der Dunkelheit erreichten wir ohne weitere Zwischenfälle die Oder. Am anderen Ufer des Flusses befand sich Westpolen, eine ärmliche EU-Provinz mit einer Arbeitslosenquote von siebzig Prozent und einer Marionettenregierung, die von Brüssel eingesetzt und kontrolliert wurde. Da wollten wir hin. Zuerst aber mussten wir über eine stark bewachte Brücke. Die Soldaten wollten uns nicht passieren lassen.

Ein Hauptmann lachte Knoch aus, als er ihm erklärte, dass unsere Karawane in den Reppener Wald wolle, und befahl uns, sofort umzukehren. Darauf zeigte Knoch dem Hauptmann eine von der Regierungsbehörde ausgestellte Bescheinigung, auf der stand, dass wir Naturwissenschaftler seien, die vom Militär zum Zweck der Erforschung von Pilzbeständen nach Westpolen abkommandiert worden seien.

»Ich habe keine Ahnung, woher Sie diesen Wisch haben«, sagte der Hauptmann, »und eigentlich interessiert mich das auch nicht die Bohne. Doch ich mache Sie darauf aufmerksam, dass wir uns zurzeit im Kriegszustand befinden. Dort, wo Sie hinwollen, ist seit gestern Sperrgebiet. Kein Schwanz kommt da rein!« Der Hauptmann lachte laut, zerriss das Schreiben und warf Knoch die Papierfetzen ins Gesicht. Dann drehte er sich um und ging, immer noch wie ein Verrückter lachend.

Am nächsten Morgen lachte er nicht mehr. Er war nicht mehr da, die ganze Kompanie war verschwunden. Wir konnten die Brücke ohne Schwierigkeiten überqueren.

Lesginka rümpfte die Nase, als wir das taten, und klärte mich leise auf, dass Schluss sei mit dem Entmaterialisieren, von nun an stünde uns keine Zauberei mehr zur Verfügung. »Das ganze Zeug wurde letzte Nacht völlig verpulvert. Jetzt müssen wir die Sache konventionell anpacken. Mal sehen, ob es klappt.«

Die Tatsache, dass er erstmals, seit wir uns kannten, Russisch mit mir sprach, und zwar genau in dem Moment, als wir auf der Grenze zwischen den slawischen und germanischen Völkern standen, kam mir unheimlich vor.

Kurz vor Reppen fuhren wir tief in den Wald hinein. Nach einigen Kilometern holperigen Waldweges hielt unsere Karawane vor einem Forsthaus. Robert »Orenda« Knoch stieg aus und ging auf einen untersetzten Mann zu, der in der Tür aufgetaucht war. Es war Förster Grabicz. Sie fielen sich in die Arme.

Leider konnten wir nicht im Forsthaus bleiben. Grabicz erwartete Gäste: Eine Gruppe polnischer Widerstandskämpfer unter der Führung von Hauptmann Ruczaj hatte gerade ihren Besuch angekündigt. Sie sollten kurz nach Sonnenuntergang eintreffen und wollten in der Försterei ihr Hauptquartier aufschlagen. Förster Grabicz sattelte ein Pferd und führte uns auf eine Lichtung, wo wir unser Lager errichten durften.

Wir waren am Ziel unserer Reise angelangt.

❯ Geröstete Pistazien

Eine Woche lebten wir bereits im Wald, als eines Abends Lesginka in unserem Zelt erschien. Er setzte sich im Schneidersitz auf den Boden und schlürfte Tee, den Natalia zubereitet hatte.

»Wir müssen zusammenhalten«, sagte er. »Wir sind doch alle Slawen. Unser Boss benimmt sich seit gestern sehr merkwürdig. Ich glaube, er führt etwas im Schilde.«

»Freyja versteht kein Russisch«, sagte ich.

»Dann übersetze gefälligst. Ich will nicht, dass die anderen verstehen, worüber wir hier sprechen.«

»Wer hat Euch geschickt?«, fragte Natalia scharf. »War das Knoch?«

Lesginka schaute sie entgeistert an.

»Natalia Filipowna, warum sagt Ihr so etwas? Ich bin kein Provokateur! Habt Ihr noch nicht gehört, was passiert ist? Die Europäische Union ist am Ende. Man hat die Russen gerufen, sie sollen jetzt Ordnung in Europa schaffen. Ihre

Armee rückt immer näher, beinahe ganz Polen ist besetzt. Vielleicht schon morgen werden die Soldaten hier an der alten Grenze stehen und dann werden sie weitergehen, nach Westen. Ihr wisst doch, was das bedeutet?«

»Die Russen hegen nicht die Absicht, den Westen zu erobern«, sagte Natalia. »Sehr schnell werden sie sich wieder zurückziehen.«

»Ihr könnt denken und tun, was ihr wollt, aber ich mache mich davon. Ich habe keine Lust, erschossen zu werden«, sagte Lesginka und stand auf. »Ihr wisst, was die Russen mit solchen wie uns machen. Für die sind wir doch alle Verräter, wir haben zu lange in Deutschland gelebt.«

Er verließ unser Zelt. Draußen kam es zu einem heftigen Wortwechsel. Noch bevor ich mich erheben konnte, um nachzuschauen, was da vorgefallen war, war Lesginka zurück. Schnaubend vor Wut setzte er sich auf seinen Platz und schüttelte nur den Kopf.

»Der fällt dir noch ab, wenn du so weitermachst«, sagte ich. »Was ist passiert?«

»Nicht zu glauben, nicht zu glauben«, sagte Lesginka. »Die haben uns interniert. Stell dir vor, die haben gewagt, so etwas zu machen.«

»Wer?«

»Blöde Frage. Knoch und seine Schergen. Wer sonst? Es ist vorbei. Wir gehören nicht mehr dazu.«

Ich ging nach draußen und erblickte zwei bewaffnete Männer, die vor unserem Zelt standen. Ich kannte sie, ihre Gärten lagen am Rand unserer Kolonie. Mit einem von ihnen, dem dickeren, hatte ich öfter meinen Sauerampfer gegen seine Äpfel getauscht.

Die beiden befahlen mir, mich schleunigst zurückzuziehen, sonst würden sie gezwungen sein, Gewalt anzuwenden. »Ihr seid einem feindlichen Staat angehörende Zivilpersonen«, sagte der Dickere.

Ich brüllte sie an, dass ich sofort Knoch sprechen wolle. Sie hörten nicht auf mich und ich hörte nicht auf sie. Sie waren in der Überzahl und hielten Gewehre in ihren Händen. Jedes Gewehr hat einen Kolben. Sie schlugen zwei Mal zu. Blutbeschmiert wurde ich in das Zelt zurückgestoßen. Die Welt roch nach gerösteten Pistazien.

› In Gestalt einer Kiefer

In der Nacht kam mein Vater zu mir. Er zeigte sich in Gestalt einer Kiefer und ich hörte ihn singen: »Geh nicht mit, mein Junge, geh nicht in den Wald.«

»Wie meinst du das, Vater?«

»Der Plan wurde geändert. Geh nicht weiter, mein Junge. Und lass Natalia und Freyja nicht weiterziehen. Ihr müsst zurückkehren.«

»Vater, wenn du es noch nicht bemerkt hast, wir haben Krieg. Ich treffe keine Entscheidungen mehr, der Krieg tut das für mich.«

»Du hast doch gewusst, dass der Krieg kommt. Hast du dich nicht vorbereitet?«

»Doch. Aber wann das alles passieren würde, habe ich nicht gewusst.«

»Warum nicht? Hast du Gottes Homepage nicht gelesen? Hast du vergessen, dich zu informieren?«

»Gottes Homepage besuche ich nur selten.«

»Das macht mich traurig, mein Junge. Ich habe dir doch die Adresse gegeben und du solltest sie beobachten. War das zu viel verlangt? Wieso hast du es versäumt, deine Aufgabe zu erfüllen?«

»Vater, ich wollte nicht mehr in die Zukunft schauen. Ich wollte nicht mehr wissen, was passieren wird.«

»Wegen Freyja? Wegen Natalia?«

»Das auch, aber hauptsächlich wegen mir. Ich wollte mein Leben so leben, als ob es Gottes Homepage nicht geben würde. Ich wollte nicht mehr wissen, sondern einfach nur leben.«

»Aber es gibt sie, ob du willst oder nicht. Gottes Homepage ist ein Geschenk, mein Junge, und eine Verpflichtung. Das darfst du nie vergessen.«

»Auf solche Geschenke kann ich verzichten.«

»Du hast die Idee nicht richtig verstanden. Gottes Homepage dient nicht dazu, die reale, sondern die mögliche Zukunft kennen zu lernen. Alles, was darauf steht, ist nur eine Variation verschiedener Zufälle, die passieren können. Wenn nicht in diesem, dann im nächsten Leben, wenn nicht in dieser, dann in der parallelen Welt. Eine Eintagsfliege, die übers Wasser fliegt, hinterlässt Spuren, die für das Multiversum genauso bedeutend sind, wie die eines Raumschiffes oder eines Planeten, der um die Sonne kreist, oder die eines Universums, das sich von einem anderen Universum entfernt.«

»Wer hat dir das gesagt, Vater?«

»Das kann ich dir nicht verraten, mein Junge. Jedenfalls noch nicht.«

»Man hat dich belogen.«

»Sag so etwas nicht. Du hast also versucht, dich auf deinen Verstand zu verlassen. Das ist zwar schön, aber nicht besonders klug. Du musst dir einen Computer besorgen und ins Internet gehen. Gottes Homepage wartet auf dich.«

»Du existierst, weil ich daran glaube, dass du tatsächlich existierst. Ohne mich hätte man dich schon längst ausradiert. Weißt du das?«

»Eine interessante Sichtweise. Aber leider eine ziemlich irreführende! Und du, mein Sohn, weißt du denn, warum es dich gibt?«

»Das habe ich noch nicht herausgefunden. Vielleicht, weil mich jemand träumt. Vielleicht, weil mich jemand liebt. Vielleicht, weil mich jemand spielt. Oder aber, weil ich dich träumen oder Freyja und Natalia lieben sollte.«

»Dich erwarten jetzt schwierige Tage.«

»Ja, wir sitzen richtig in der Tinte. Kannst du etwas dagegen tun, Vater?«

»Nein, das kann ich leider nicht. Ich kann dir aber sagen, dass alles gut wird. Sei also tapfer und tue, was du für richtig hältst. Ich werde bei dir sein. Ach ja, fast hätte ich es vergessen, der Wetterchip in deiner Halsschlagader funktioniert nicht einwandfrei. Ich musste den Computer von Professor Durda mehrmals anzapfen, bevor es mir gelang, dich zu orten.«

»Geht es dem Professor gut?«

»Soviel ich weiß, ist er tot. Jedenfalls sollte es so sein. Gefallen während des ersten Luftangriffs auf Kiew. Aber wer weiß, vielleicht konnte er seinem Schicksal entgehen. Wie viele andere. Es gibt eine Menge Tricks, um die Zukunft anders als vorgesehen zu gestalten. Gegenwart und Vergangenheit sind auch leicht zu manipulieren. Man muss nur wissen, wie.«

»Ich muss mir den Wetterchip herausschneiden.«

»Tu das nicht, es ist zu gefährlich.«

»Du hast mich gefunden, die anderen können das also auch. Wer weiß, ob die ohne böse Absicht kommen. Ich muss Freyja und Natalia schützen.«

»Du kannst sie nicht schützen, du kannst sie nur begleiten, und zwar so lange, bis sich ihr Schicksal erfüllt. Wenn du den Chip entfernst, wird dein Immunsystem angegriffen und du wirst schnell das Zeitliche segnen. Bei dir wurde damals nicht nur ein Chip, sondern auch ein Virus eingepflanzt, als Schutzmaßnahme. Sie wollten auf Nummer Sicher gehen, dass du nicht auf dumme Gedanken kommst.

Das Virus ist ein schlafender Parasit, der sich genauso gut in lebenden wie in anorganischen Wirtszellen vermehren kann. Im Moment wird er von dem Wetterchip in Schach gehalten. Wenn der Chip nicht mehr da ist, wird das Virus erwachen und nimmt dich als Wirt. Binnen eines Monats wird es dich zerfressen wie die Motten den Pelz.«

»Kann man das Parasitenvirus nicht irgendwie entfernen, ich meine zusammen mit dem Chip?«

»Eine Möglichkeit gibt es in der Tat: Bluttransfusion. Man müsste versuchen, gleichzeitig das Blut auszutauschen und den Chip zu entfernen. Lass also die Finger davon, in der Nähe gibt es kein Krankenhaus.«

Mein Vater redete noch eine Weile und gab mir genaue Anweisungen. Dann entzündete sich die Kiefer. Er ging in Flammen auf, die in den Himmel stiegen.

Ich löschte sie mit bloßen Händen.

Es tat überhaupt nicht weh.

〉 Der Fliegende Kalmücke

Am nächsten Morgen wurde ich zu Knoch gebracht. Ich beschwerte mich über die ungerechte Behandlung. Er zeigte sich unbeeindruckt.

»Nehmen Sie das Ganze bitte nicht so tragisch«, sagte er. »Die Jungs sind ein bisschen nervös, wegen der Invasion. Die Russen erreichen gerade Posen, oder besser gesagt, das, was von der Stadt noch übrig geblieben ist. Demnächst werden sie vor unserem Wald stehen.«

»Was habe ich damit zu tun?«, sagte ich. »Ich bin doch kein Russe, sondern Pole.«

»Polen, Russen, Tschechen, Ukrainer – ihr seid doch alle gleich.«

»Warum sagen Sie so etwas? Wir haben doch so lange zusammengearbeitet.«

»Und jetzt erkläre ich die Zusammenarbeit für beendet.«

»So einfach stellen Sie sich das vor?«

»Eines Tages werden Sie verstehen, warum ich so handeln musste. Das ist alles, was ich Ihnen im Moment dazu sagen kann.«

»Herr Knoch, was Sie tun, ergibt keinen Sinn. Ich mache Ihnen einen Vorschlag: Pfeifen Sie bitte sofort Ihre Hunde zurück und lassen Sie uns gehen.«

»Nun mal halblang, mein lieber Herr Gepin! Sie befinden sich nicht in der glücklichen Lage, mir irgendwelche Ratschläge erteilen zu können. Oder wollen Sie mich wirklich verärgern und zwingen, Freyja oder vielleicht Ihre Mutter erschießen zu lassen?«

»Ja, mein allerliebster Führer, gerade das beabsichtige ich. Sie können sogar versuchen, beide umzubringen, und ich werde gerne zusehen und Wetten abschließen, ob Sie es tatsächlich schaffen. Dann können Sie auch versuchen, Lesginka, mich und die anderen zu beseitigen.«

Er schwieg eine Weile, dann sagte er: »Weshalb sind Sie sich so sicher, dass ich das nicht tue?«

»Keinem von uns ist vom Schicksal bestimmt, durch Sie zu sterben. Sie haben eine andere Aufgabe zu erfüllen. Ich mache mir also keine Sorgen um uns, sondern um Sie. Sie sitzen ziemlich im Schlamassel. Wie Sie da jetzt herauskommen, weiß ich nicht und es interessiert mich auch nicht. Ich kann Ihnen nur sagen, Ihre Entscheidung, uns zu internieren, war schwachsinnig und unverantwortlich.«

»Sehe ich das richtig? Korrigieren Sie mich bitte, wenn ich mich irre. Unser Herr Gepin hatte schon wieder eine Stippvisite von seinem außerirdischen Papi? Ist er deswegen heute Morgen so klug? Hat er deshalb keine Angst vor dem bösen Wolf?«

»Woher wissen Sie das von meinem Vater?«

»Was hat Ihnen diesmal der Fliegende Kalmücke gesagt? Hat er Ihnen wieder irgendwelche kosmischen Geheimnisse verraten? Das ewige Leben auf den Plejaden oder gar die irdische Unsterblichkeit versprochen?«

»Spotten Sie nicht! Und hören Sie bitte sofort auf, meinen Vater als Fliegenden Kalmücken zu bezeichnen!«

»Es ist aber so, Herr Gepin. Plötzlich ist er da und dann auf einmal ist er wieder weg. Wie der Fliegende Holländer. Wissen Sie, warum Ihr Vater verdammt wurde, in alle Ewigkeit gegen die Sonnenstürme zu kreuzen? Wegen eines Frevels! Ja, wegen der Versündigung gegen göttliche und menschliche Gesetze. Er hätte sich damals umbringen sollen, als er zum ersten Mal nach oben geschickt wurde. Er hätte einfach wie abgesprochen das Gift schlucken sollen, und die Sache wäre für ihn und für alle Beteiligten erledigt gewesen. Aber er fing plötzlich an, das zu tun, was einem Kosmonauten nicht zustand: Er begann zu denken. Das aber war nicht vorgesehen! Der Fliegende Kalmücke hat den Großen Plan durcheinandergebracht, und dafür muss er jetzt im All kreisen, bis ans Ende seiner Tage. Die Götter sind auf ihn böse, sehr böse! Ist das nicht drollig? Und wir? Was haben wir davon? Wir haben den verfluchten Krieg! Wir kämpfen um die Luft, also um nichts und wieder nichts. Denken Sie immer noch, dass Ihr Vater ganz in Ordnung war?«

»Jetzt weiß ich, von wem Sie das haben. Natalia hat es Ihnen gesagt. Na gut. Ich kann auch anders. Herr Knoch, weiß Ihre Frau eigentlich, wie gut Sie Natalia kennen? Ich schätze nicht. Vielleicht sollte sie jemand darüber in Kenntnis setzen. Was halten Sie davon?«

Knoch zuckte zusammen und sagte: »Herr Gepin, Ihre feine russische Art, sich schnellstens bei Ihren Feinden und Freunden unbeliebt zu machen, habe ich schon immer bewundert. Genauso wie Ihre Sauerampferplantage. Aber jetzt ist Schluss! Versuchen Sie nicht, den Judas zu spielen. Meine Frau weiß alles. Sie müssen nämlich wissen, damals, als sie Krebs hatte und nicht wusste, wie lange sie noch zu leben hatte, hat sie selbst mich zu Natalia geschickt. So war das, und dafür bin ich ihr dankbar.«

»Das wusste ich nicht. Weil Sie so offen gesprochen haben, kann ich Ihnen auch ein Geheimnis verraten. Wissen Sie, was passiert, wenn Sie sich entschließen, Natalia oder Freyja töten zu lassen? Das Spiel wird aufgehalten und der gespeicherte Spielstand geladen. Das Spiel wurde automatisch gespeichert, als wir unser Lager aufgeschlagen haben. Wir werden so lange zum alten Spielstand zurückkehren, bis Sie eine Ihnen vorgeschriebene Entscheidung treffen. Habe ich mich klar ausgedrückt?«

»Was soll das? Wollen Sie mich auf den Arm nehmen?«

»Nein. Ich will Ihnen nur verdeutlichen, dass Sie keine andere Wahl haben. Sie müssen uns laufen lassen.«

»Das ist kein Computerspiel, Herr Gepin, sondern wirkliches Leben, unser Leben. Das Geschehene können wir nicht durch das Laden eines früher gespeicherten Spielstands ungeschehen machen.«

»Haben Sie vielleicht Lust zu überprüfen, ob Sie Recht haben oder nicht?«

Knoch starrte mich an.

»Fordern Sie mich bitte nicht heraus, Herr Gepin! Abführen!«, sagte er scharf und kehrte mir den Rücken zu.

› Kein Mensch, ein Russe

Bruce und Autoatlas stürmten herein und ich verließ in ihrer Begleitung Knochs Zelt. Sie führten mich in den dichten Wald hinein. Ein sachter Wind rauschte in den Wipfeln der Bäume. Als wir nach einem kurzen Fußmarsch eine kleine Lichtung am Rande eines Birkenwäldchens erreichten, hielten wir an.

Autoatlas, so lautete sein Deckname, weil er leidenschaftlich Autoatlanten aus der ganzen Welt sammelte, deutete auf den Spaten, dessen Blatt zur Hälfte in der Erde steckte, und sagte: »Ich glaube, Feger, dass du damit recht gut umgehen kannst.« Er lachte nervös.

»Und was soll ich machen?«, fragte ich. »Etwa ein Blumenbeet anlegen? Oder soll ich dir damit gleich eins über die Rübe ziehen?«

»Nö, nur eine Grube ausbuddeln«, sagte er. »Da drüben, gleich neben dem Stein kannst du anfangen.«

»Zu welchem Zweck?«, fragte ich.

»Bruce, weißt du, wozu der Chef die Grube haben will?«, rief Autoatlas seinem Kameraden zu, der grätschbeinig unter einer Birke stand und pinkelte.

»Was weiß ich«, antwortete Bruce und drehte den Kopf etwas in unsere Richtung. »Vielleicht will er jemand erschießen lassen. Da braucht man eine Grube, oder?« Er krümmte sich vor Lachen.

Bruce hatte ich noch nie leiden können. Er verwendete in seinem Garten menschlichen Urin als Dünger, vorwiegend seinen eigenen, und deshalb war es für ihn nicht unproblematisch, seine Erzeugnisse mit anderen zu tauschen.

»Tut mir leid, Jungs«, sagte ich, »ich muss euch enttäuschen. Heute habe ich keine Lust, mein eigenes Grab zu schaufeln.«

»Spinnst du, Feger!« Autoatlas sprang auf. »Du musst das tun. Mach dich also an die Arbeit, aber dalli!«

Ich setzte mich auf einen mit Moos bedeckten Stein und starrte vor mich hin.

»Bruce, was machen wir jetzt?«, schrie Autoatlas. »Der will nicht und der Chef wird sauer auf uns sein.«

»Na ja, wir könnten ihn verhauen«, sagte Bruce. Während er vom Pinkeln zurückkam, versuchte er seinen Hosenschlitz zu schließen, was ihm nicht ganz gelingen wollte.

»Meinst du richtig zusammenschlagen?« Autoatlas schien verwirrt. »Das können wir doch nicht machen.«

»Und ob!« Bruce beendete seinen Kampf mit dem Reißverschluss mit einem Ruck. »Wir haben Krieg, mein Freund. Im Krieg darf man alles. Man darf Menschen verprügeln, sie einsperren, sie hungern lassen, sie erschießen, sie verspeisen und so weiter. Im Krieg ist ein wahrer Krieger endlich frei. Und wir sind doch wahre Krieger, oder? Autoatlas, wir sind doch keine Waschlappen! Jetzt können wir endlich zeigen, was wirklich in uns steckt. Ich habe schon ziemlich lange auf einen Krieg gewartet. In letzter Zeit gab es bei uns leider so gut wie keine Kriege. Aber jetzt, jetzt ist der Frühling da, den muss man genießen, nicht wahr, Autoatlas, richtig genießen!«

»Bruce, entweder willst du mir Angst einjagen oder du tickst nicht mehr richtig«, erwiderte Autoatlas.

»Wie du meinst! Du kannst selbst diese verfluchte Grube ausbuddeln. Ich habe nichts dagegen.«

»Nö, Bruce, darauf habe ich wirklich null Bock.«

»Wenn ich nur wollte, könnte ich dich dazu zwingen.«

»Bist du jetzt völlig übergeschnappt? Wie willst du das anstellen?«

»Ganz einfach. Ich gebe dir einen Befehl.«

»Und das soll funktionieren?«

»Ich schätze ja. Wenn du dich meinem Befehl widersetzt, dann schieße ich dich auf der Stelle über den Haufen. So macht man das im Krieg.«

»Und was sollte dir das bitte schön nutzen? Dann müsstest du die Grube selbst ausbuddeln.«

Bruce verzog sein Gesicht zu einer ulkigen Grimasse. Er schien ratlos zu sein.

»Irgendwie hast du Recht«, sagte er. »Wir müssen dem Feger also auf die Beine helfen. Feger, beweg endlich deinen russischen Arsch. Na wird's bald! Sonst bepisse ich dich!«

»Wenn es dir Spaß macht, tu das«, sagte ich. »Ich bin für vieles offen.«

»Das schaffst du aber nicht, Bruce«, sagte Autoatlas. »Du warst doch gerade erst pinkeln.«

»Na, dann warten wir ein Weilchen!«, schrie Bruce. »Oder du, ja, du machst das!«, fügte er hinzu.

»Ich kann nicht auf einen Menschen pinkeln, es macht mich nervös.«

»Er ist doch kein Mensch, er ist ein Russe, unser Feind, du Pfeife!«

»Trotzdem. Ich kann Feger erschießen, wenn du willst, aber nie und nimmer werde ich auf ihn pinkeln. Pinkeln ist mir zu persönlich. Außerdem mag ich nicht, wenn mir jemand dabei zusieht.«

»Du bist mir aber ein Sensibelchen! Und wenn ich ihm die Augen verbinde?«

»Dann müsstest du dir auch die Augen verbinden.«

»Reicht dir nicht, wenn ich mich einfach umdrehe?«

Autoatlas dachte nach.

»Na gut, wir könnten es versuchen«, seufzte er. »Hast du eine Binde?«

»Nein, ich dachte, du hättest eine.«

»Jetzt reicht's mir aber wirklich! Bist du noch zu retten? Du Arsch, du denkst, ich laufe mit einer Binde im Wald herum?«

»War nur so ein Gedanke ...«

»Scheißgrube!« Bruce warf seine Maschinenpistole weg und sank zu Boden. »Ihr könnt mich alle mal, und zwar kreuzweise!«

In diesem Moment sah ich Butler, Knochs persönlichen Adjutanten, auf uns zukommen. Butler war Spezialist für

Blattsalat, Spinat und Virenbekämpfung im Internet. Sein Garten sah immer sehr gepflegt aus. Leidenschaftlich gerne putzte er Schuhe, und nicht nur die eigenen. Jeder, der ihn besuchte, musste seine Schuhe ausziehen und zur Inspektion und zum darauf folgenden Putzen hergeben.

»Kinder, seid ihr noch nicht fertig?«, sagte Butler. »Ach, ihr habt noch nicht angefangen! Wie lange soll das noch dauern? Und was macht der hier?« Er zeigte auf mich.

Autoatlas und Bruce zuckten mit den Achseln.

»Man sucht überall nach ihm. Ihr solltet Feger doch nur in sein Zelt zurückbringen und dann diese verfluchte Grube zum Scheißen ausbuddeln. Jetzt glaubt man, dass er geflohen ist. Kinder, was macht ihr nur mit eurem Leben? Wollt ihr euch die Zukunft versauen?«

»Wir dachten nur«, sagte Bruce, »er könnte uns vielleicht ein wenig helfen. Er ist kräftig, gut gebaut und so weiter.«

»Ja, das dachten wir«, mischte sich Autoatlas ein. »Und er kann so geschickt mit dem Spaten umgehen. Ich habe ihn oft in seinem Garten beobachtet. Er ist der Beste, wirklich der Beste! Wenn er sich richtig ins Zeug legt, kann er Spaten und Erde zum Singen bringen.«

»So, so, zum Singen ...« Butler lächelte schwach.

»Warte!« Ich wandte mich an Butler. »Das soll eine Grube für Kacke werden?«

»Natürlich«, sagte Butler. »Was dachtest du denn? Die alte Latrine ist zu nah am Lager und stinkt schon zum Himmel. Außerdem können Hedda und die Kinder von Orenda nicht einschlafen, weil ständig jemand an ihrem Zelt vorbeiläuft. Bruce, sag mal, wer hat dich so zugerichtet? Deine Hose ist ja vorne ganz nass? Du lernst aber wirklich nie, mit dem Wind zu pinkeln. Und heb sofort deine Waffe auf. Wenn ich dich noch einmal dabei erwische, wie du sie wegschmeißt, kommst du vors Kriegsgericht! Hast du gehört? Kriegsgericht, mein Lieber! Komm, Feger, wir gehen nach Hause.

Und ihr, Kinder, macht euch endlich an die Grube. Ihr habt Zeit bis zum Abendbrot. Oder wollt ihr heute keines?«
Ich stand auf. Butler begleitete mich zu meinem Zelt.

> **Steigbügeltrunk**

Am Abend rief mich Knoch zu sich. Er war nicht allein in seinem Zelt. Auf einem Klappstuhl saß ein Mann in einem Tarnanzug der polnischen Armee und nippte an einem halbvollen Glas. Er verzog sein Gesicht zu einer Grimasse, als er den Kopf hob und zu mir aufschaute. Knoch stellte ihn als Hauptmann Ruczaj vor.

»Das ist also einer eurer Russen«, sagte der Hauptmann auf Deutsch, während er mich von oben bis unten musterte. »Warum ist er nicht in Ketten?«

»Ich hielt das nicht für notwendig«, sagte Knoch. »Wenn Sie wollen, werde ich es veranlassen.«

»So, so, die Russen laufen bei Ihnen also frei herum, Herr Orendowski. Das wird sich bald ändern.«

»Orenda, wenn es Ihnen nichts ausmacht«, sagte Knoch leise. »Ich heiße einfach Orenda.«

»Ach was! Sie leben jetzt in Polen, da sollten Sie doch höflichkeitshalber einen polnischen Namen annehmen und mit Stolz tragen, oder? Als ich einmal bei euch lebte, hatte man mir einen deutschen Namen gegeben und ich bedankte mich dafür. Ich hieß Autoknacker und meine Kumpels vom Bau fanden es immer lustig, mich so zu rufen: Autoknacker, bring uns das oder das. Autoknacker, hast du schon den Wagen vom Chef nach Polen verscherbelt? Autoknacker, wann wird der letzte Mercedes Deutschland in Richtung Osten verlassen? Tja, das waren wirklich amüsante Kerle. Wir hatten viel Spaß miteinander.«

»Es tut mir leid, Herr Ruczaj, dass Sie schlechte Erfahrungen in meinem Land gemacht haben. Ich versichere Ihnen, dass ...«

»Wer redet hier von schlechten Erfahrungen? Orendowski, mein lieber Orendowski, tun Sie bitte nicht so betroffen! Ich war jung und knackig, ich habe meine Kohle mit dem Schleppen von Zementsäcken verdient, und alles war wunderbar. Ich habe mich nie beklagt. Außerdem ist es doch besser, ein Dieb zu sein als ein Nazienkel. Oder wie sehen Sie das?«

Knoch schwieg.

»Na gut«, fuhr Ruczaj fort, »das ist sowieso nicht mehr wichtig. Jetzt haben wir unseren eigenen Krieg und diesmal werden wir alles besser machen, nicht wahr? Wir bauen keine Scheiße mehr! Dieses Ding werden wir gemeinsam drehen, Herr Orendowski! Habe ich Recht oder beißen mich schon die Würmer?«

»Ja, Sie haben es erfasst«, sagte Knoch ein wenig verwirrt.

Hauptmann Ruczaj trank sein Glas in einem Zug aus, Knoch schenkte nach. Sie tranken wieder.

Ruczaj stand auf und kam näher. Er stellte sich direkt vor mir auf und brüllte: »Russe, weißt du, was deine Landsleute machen, wenn sie einen Polen schnappen? Verbrennen! Bei lebendigem Leibe! Oder in eine Grube voller Ratten werfen! Soll ich das auch mit dir machen? Soll ich deinen verfluchten Arsch auch abfackeln lassen?«

»Ich bin kein Russe, sondern Pole«, sagte ich auf Polnisch.

»Oh, es fängt an, richtig spannend zu werden! Ein polnisch sprechender Russe, der obendrein behauptet, Pole zu sein. Den nehme ich, Herr Orendowski, den nehme ich sofort mit! Er bringt mich zum Lachen! Und was ist mit den drei anderen? Stoßen sie auch bald zu unserer Runde?«

»Ich habe Ihnen doch gesagt, Herr Ruczaj, sie stehen nicht zur Wahl.«

»Trotzdem will ich sie sehen. Vergessen Sie nicht, Herr Orendowski, ihre Truppe weidet kostenlos in unserem, ich wiederhole, in unserem polnischen Wald! Also lassen sie gefälligst Ihre Russen sofort zu uns bringen, oder ich schmeiße Sie und Ihre Leute raus.«

Knoch räusperte sich einige Male und rief die Wache. Man sah ihm an, dass er sich dabei unwohl fühlte.

Kurze Zeit später wurden Freyja, Natalia und Lesginka in das Hauptquartier gebracht.

Hauptmann Ruczaj betrachtete eine Weile die vor ihm Stehenden. »Die schönen Damen nehme ich gerne mit«, sagte er. »Sozusagen als Anzahlung für eventuelle Kriegsentschädigung. Bei euch Deutschen muss man immer auf der Hut sein! Ihr kommt, macht euch in unserem Scheißhäuschen breit und dann bezahlt ihr fürs Klopapier an die Juden statt an uns. Aber der«, er zeigte auf Lesginka, »der interessiert mich nicht. Er ist Ukrainer. Mit der Ukraine führen wir keinen Krieg. Den können Sie behalten. Und passen Sie gut auf, dass ihm kein Haar gekrümmt wird. Meine Urgroßmutter stammte nämlich aus Lwów. Das wär's also, Herr Orendowski, morgen kommen meine Leute, um die Russen abzuholen. «

Hauptmann Ruczaj stand auf und streckte seine Hand aus. Knoch schüttelte sie.

»Noch eins«, sagte Ruczaj. »Wagen Sie es ja nicht, mich auszutricksen. Wenn die Russen in der Nacht fliehen sollten oder wenn die Ware auf irgendwelche Weise beschädigt wird, mache ich Sie dafür persönlich verantwortlich. Zuerst aber knöpfe ich mir Ihre Frau und Ihre beiden Kinder vor. Verstanden?«

Knoch nickte.

»Wunderbar!« Ruczaj klatschte und rieb sich die Hände. »Dann noch einen Steigbügeltrunk, und ich mache mich auf die Socken.«

Sie tranken einen zum Abschied und der polnische Hauptmann verschwand in der Dunkelheit.

Und so wurden wir von Robert Knoch an unsere Landsleute verkauft. Die letzte Nacht verbrachten wir ohne Lesginka. Man hatte ihm ein Einzelzelt zur Verfügung gestellt, und alle scharwenzelten um ihn herum, als wäre er ein Zar. Als er den Wunsch äußerte, etwas zum Trinken zu bekommen, schickte ihm Knoch umgehend eine Flasche Rum, die letzte aus seinem Vorrat.

In unserem Zelt herrschte frohe Stimmung. Natalia, meine heilige Mutter, meinte, es könne doch nicht schlimmer werden, als es ohnehin schon war, unsere Nationsgenossen würden uns bestimmt nichts antun, die Sache werde sich im Nu klären und man werde uns ruckzuck freilassen. Freyja ließ sich von Natalias Heiterkeit anstecken und freute sich auf den nächsten Tag.

Ich teilte ihre Ansichten nicht. Als ich die Augen schloss, sah ich einen Sibirischen Tiger auf mich zurasen. In seinen Pupillen loderten Flammen, und sein Maul mit riesigen Zähnen war weit aufgerissen. Ich wusste, dass er mich verschlingen wollte. Ich wehrte mich nicht. Nach und nach landeten meine Körperteile einzeln in seinem dunklen Bauch. Dann wurde ich neu zusammengesetzt, ich wurde wieder ein ganzer Mensch. Mit einem Messer schlitzte ich den Bauch des Tigers auf und ging nach draußen. Obwohl keiner da war, schämte ich mich, nackt zu sein. Mit dem Messer in der Hand ging ich durch eine dunkle Wolke.

〉 Der Tod in der Turnhalle

Gegen Mittag wurden wir abgeholt und in einem Lastwagen nach Reppen gebracht, wo sich in einer Schule ein provisorisches Lager für Internierte befand. Außer uns saßen in der Turnhalle über zweihundert Kinder, Frauen und Männer. Sie alle hatten sich angeblich eines Verbrechens schuldig gemacht, indem sie als Russen auf die Welt gekommen waren. Doch das war eine Lüge. Man brauchte Russen, also schuf man sie sich. Als wir uns in der Menge auf einem freien Platz niederließen, hörte ich verschiedene Sprachen um mich herum: Deutsch, Tschechisch, Türkisch und Arabisch. Die Aufseher benutzten die Sprache der Aufseher: Knüppel und Gebrüll. Wenn sie uns anschrien, konnte man meinen, dass es Polnisch war.

Die Kommandantin des Lagers hieß Pani Minczakowa, Pani Katarzyna Minczakowa. Sie war eine hagere Frau. Vor dem Krieg hatte sie bei der Stadtverwaltung im Standesamt gearbeitet. Meine heilige Mutter sprach mit unseren Bewachern und bat um eine Unterredung mit Minczakowa. Diese wurde ihr auch gewährt. Sie ging, voller Hoffnung, das Missverständnis aufzuklären und uns bald frei zu bekommen. Erst drei Tage später kam sie zurück. Die Bewacher brachten sie auf einer Bahre und warfen sie auf den Boden wie einen Sack Kartoffeln. Sie hatte keine äußeren Verletzungen, sie roch nur stark nach Alkohol. Als sie in der Nacht zu sich kam, erzählte sie, man habe sie in den Fahrradkeller gesteckt und mehrmals verhört. Minczakowa habe sie gezwungen, Brennspiritus zu trinken. »Falls du dabei erblindest«, sagte sie zu meiner Mutter, »dann wird das für mich ein untrüglicher Beweis dafür sein, dass du keine Russin bist, und deine Familie wird frei gelassen. Falls du aber nicht erblinden solltest, dann muss ich dich liquidieren lassen, weil du mir Zeit geraubt und versucht hast, mich zum Besten zu halten. Sagst du Nein zu unserem Spiel, sehe ich mich gezwungen, mit deiner Schwiegertochter und deinem Sohn dasselbe Spiel zu spielen. Du bekommst acht Stunden Zeit zum Nachdenken.«

Natalia Filipowna Gepin, meine heilige Mutter, brauchte nicht einmal eine Sekunde, um ihre Entscheidung zu treffen. Sie griff zum Brennspiritus und trank bis zum Umfallen. In der Nacht nach dem zweiten Verhörtag verlor sie das Augenlicht. Minczakowa hielt das für ein weiteres russisches Täuschungsmanöver und ordnete die Fremdzufuhr von Alkohol an. Es folgten zwei Spritzen mit Brennspiritus. Dann wurde eine Ärztin bestellt, die feststellte, dass meine Mutter tatsächlich erblindet sei. Da die Ärztin ohne weitere Untersuchungen mit speziellen Medizingeräten nicht mit hundertprozentiger Gewissheit sagen konnte, ob die Erblindung dauerhaft oder nur vorübergehend war, bezeichnete Minczakowa meine Mutter nach wie vor als »verdammte bolschewistische Simulantin«. Woher sie das hatte, weiß ich nicht; Bolschewiken galten schon damals als längst ausgestorben.

Natalia Filipowna Gepin, die heiligste aller Mütter, starb leise. Sie sagte zu mir, dass sie sich ein wenig erholen wolle und dass sie sich an die Dunkelheit um sie gewöhnen müsse und drückte schwach meine Hand. Dann schlief sie ein und wachte nicht mehr auf.

Als sie aufhörte zu atmen, weinte Freyja. Dazu war ich leider nicht in der Lage. Ich hatte mit dieser heiligen Frau beinahe mein ganzes bisheriges Leben verbracht, sie war immer bei mir gewesen, selbst wenn sie weit entfernt war, sie bedeutete mir mehr als jeder andere Mensch auf dieser Welt. Und doch nahm ich Abschied von ihr, ohne eine einzige Träne zu vergießen. Ich konnte einfach nicht um sie trauern. Nicht damals, in der Nacht, als sie von mir zu den Sternen ging, und auch nicht später.

Am nächsten Morgen wurde ihre sterbliche Hülle von den Bewachern fortgebracht und im Wald verscharrt.

In der darauf folgenden Nacht mussten wir die Turnhalle räumen. Unsere Kolonne schleppte sich in völliger Stille durch die dunkle Stadt. Als wir den Bahnhof erreichten, bekam jeder von uns eine Plastiktüte mit Wasser. Man sagte uns, dass wir damit sparsam umgehen sollten, weil uns eine lange Reise erwarten würde. Kurz nach Sonnenaufgang trieb man uns in die Waggons eines bereitstehenden Zuges. Gegen Mittag hörten wir eine Schießerei und gleich darauf setzte sich der Zug in Bewegung. Wir wussten nicht, wohin man uns bringen wollte, aber ich war wie vom Donner gerührt, als ich bemerkte, dass der Zug die Oder überquerte und weiter nach Westen fuhr.

Es war der letzte Personenzug, der im Ersten Krieg um die Luft die Provinz Westpolen verließ. Lange war ich überzeugt, dass damals ein Wunder geschehen war und dass uns offenbar mein Vater geholfen hatte. Da lag ich allerdings völlig daneben. Auf Gottes Homepage habe ich später die wahren Gründe unserer Rettung erfahren. Wir waren damals die Nutznießer einer Entführung. Planmäßig sollte unser Zug nämlich nicht nach Westen, sondern nach Osten fahren, zu den Russen. Sie hatten mit den EU-Unterhändlern Einigungsgespräche geführt und alle Internierten in Reppen für tausend Barrel Öl freigekauft. Doch der Zugführer, ein gewisser Jan Wrona, wollte nicht in die besetzten Gebiete, weil er um sein Leben fürchtete. Kurzerhand entführte er also den Zug mit allen Insassen und setzte sich in den Westen ab. Nach dem Ersten Krieg um die Luft stellte er sich freiwillig den Behörden und wurde inhaftiert. Erst die Niebieskis haben ihn wieder auf freien Fuß gesetzt und rehabilitiert. Noch vor seinem Tod wurde eine Straße nach ihm benannt, die berühmte Jan-Wrona-Straße in Berlin, bei der heute das Denkmal der ausgestorbenen Tiere steht.

Die Schüsse, die wir vor unsere Abreise gehört hatten, waren von einem Sonderkommando der russischen Armee abgefeuert worden. Nach kurzem Gefecht wurde Reppen besetzt und schließlich wurde abgerechnet.

Inzwischen hatte unser Zug diesseits der Grenze auf freier Strecke gehalten. Der Zugführer suchte das Weite und die Menschen stürzten aus den Waggons und stürmten in wilder Flucht davon.

So also waren wir wieder in Deutschland. Frei wie Vögel, hungrig wie Hunde. Freyja nahm mich bei der Hand und wir gingen los, immer am Gleis entlang.

> Guter Schütze, kluger Mann

Vor dem nächsten Bahnhof wurden wir von einer Gruppe dunkelhäutiger Männer mit zottigen Bärten gestoppt. Sie waren mit Handgranaten und Säbeln bewaffnet. Ich begrüßte sie mit Salam alaikum und fragte, ob sie etwas zu essen hätten. Sie lachten, und einer, der kleinste unter ihnen, meinte, so ein Kartoffeldeutscher wie ich solle sich seine Kartoffeln selber suchen. Ich fragte ihn, ob er taub sei. Er verstehe meine Frage nicht, gab er aggressiv zurück. Ich entgegnete, ob man nicht hören könne, dass ich Deutsch mit Akzent spreche. Sie unterhielten sich kurz miteinander auf Türkisch und wollten wissen, aus welcher Stadt wir stammten. Ich erwähnte Linden, einen Stadtteil von Hannover. Mehmet, der kleine Türke, lächelte zufrieden, streckte mir die Hand entgegen und meinte, es sei ein wahres Vergnügen, sich mit einem klugen Menschen zu unterhalten. Ich gab ihm Recht und erwiderte sein Kompliment, während ich seine Hand schüttelte.

Die Türken schickten uns zu ihren Leuten, die sich auf dem Bahnhof aufhielten. Dort bekamen wir zu essen und konnten uns für die Nacht einrichten.

Am nächsten Morgen kam Clavin, der Anführer der Türken, auf mich zu und wollte wissen, ob ich mich mit Schusswaffen und anderen nützlichen Dingen auskennen würde. Ich bat ihn um seine Pistole und zeigte, wie treffsicher ich war. Er war von meiner Kunst beeindruckt und fragte, ob ich mich ihnen anschließen wolle. »Langsam gehen mir die Männer aus«, fügte er mit trauriger Miene hinzu.

»Was ist mit ihr?« Ich zeigte auf Freyja. »Darf sie auch mitkommen?«

Clavin schlug mir auf den Rücken und lachte laut.

»Guter Schütze, kluger Mann! Aber doch irgendwie Kartoffel geworden«, sagte er. »Du hast zu lange in der Erde gesteckt und vergessen, wie schön die Welt da draußen ist. Unsere Frauen gehen immer mit uns, genauso wie unsere Kinder. Ein Mann ohne Frau und Familie ist doch nur ein halber Mann. Und wer in dieser Welt braucht schon halbe Männer?«

Die Türken wollten nach Polen, denn sie hatten gehört, dass es dort riesige Wälder gebe, wo man noch unverseuchtes Wild jagen könne. In Deutschland sei es schwierig geworden, etwas Essbares aufzutreiben, und frisches Fleisch oder Gemüse hätten sie lange nicht mehr gesehen. Sie wussten nichts von der anrückenden russischen Armee. Als ich sie darüber informierte, wurden sie aufgeregt und entschlossen sich nach heftiger Diskussion, den Bahnhof zu verlassen und sich nach Südwesten zurückzuziehen. Ihnen standen über zwanzig Autos zur Verfügung und sie hatten, wie Clavin sagte, genug Kapseln mit flüssigem Wasserstoff, um zehn Mal nach Mekka zu pilgern, wenn es dahin freie Fahrt gegeben hätte. Das Lager wurde in aller Eile abgebrochen und wir fuhren los.

Wir zogen ausschließlich über Landstraßen, weil uns die meisten noch befahrbaren Autobahnen zu gefährlich erschienen. Dort lauerten EU-Soldaten, die, bis an die Zähne bewaffnet, ihren Spaß daran hatten, auf alles, was sich bewegte und keine vier Beine hatte, mit ihren Laserkanonen oder Giftgasmaschinenpistolen zu schießen. Mehmet und einige andere Männer aus der Gruppe hätten nichts gegen eine kleine Auseinandersetzung mit den Janitscharen gehabt. Doch Clavin meinte, wir seien zu schwach, um solchen Gegnern die Stirn zu bieten, und sie hörten auf ihn. Es fehlte uns aber nicht an Gefechten mit Freischärlern.

Einmal, an einer Kreuzung nördlich von Dresden, gerieten wir in einen Hinterhalt. Wir konnten uns in den Straßengräben verschanzen, drei gegnerische Fahrzeuge mit Granaten zerstören und fünf Personen im Nahkampf die Kehle durchschneiden. Danach zogen sich die Freischärler zurück. Auf unserer Seite gab es sechs Tote: zwei Kinder, eine Frau und drei Männer. Wir schichteten ihre Leichen übereinander und verbrannten sie. Als ich den dicken Ali fragte, warum sie ihre Toten einäschern würden, was doch nach islamischem Glauben nicht erlaubt sei, erklärte er mir, dass sie zu den Reformierten Moslems gehören würden. Da es in Europa keine heilige Erde gebe, sei nach Muneims Lehre die Feuerbestattung zu empfehlen.

Ein weiteres Gefecht ereignete sich kurz vor Jena. Diesmal waren wir diejenigen, die angriffen. Einen Kühlkleinlastwagen mit an den Seiten abgebildeten Milchprodukten, der in Begleitung von vier Motorrädern rollte, hielten wir für ein Schnäppchen. Leider erwies sich der Wagen nicht als das, was wir uns erhofft hatten. Nachdem die vier Motorradfahrer das Zeitliche gesegnet hatten, war die Verfolgungsjagd zu Ende und der Kleinlaster hielt an. Wie von uns verlangt, stiegen mit erhobenen Händen zwei Frauen aus. Sie erklärten, sie würden keine Milch oder Butter befördern, sondern lediglich alte Staatspapiere, die für uns nicht von Nutzen seien und die sie gerade auf eine Müllkippe bringen wollten. Als Clavin den Wunsch äußerte, einen kurzen Blick in das Innere des Wagens zu werfen, zog plötzlich eine der Frauen, eine stämmige Rothaarige in einem zu großen bunten Hemd, eine Waffe, richtete sie auf Clavin und drückte, ohne genau zu zielen, ab, zwei Mal. Doch es passierte nichts, es fiel kein Schuss, die Waffe machte kein Geräusch, so als wäre sie keine richtige Waffe, sondern eine Holzattrappe. Die Frau ließ die Pistole fallen. Clavin schaute sie vorwurfsvoll an. Doch sie war mit ihrem Latein noch nicht am Ende. Sie steckte ihre Hand vorne in die Hose. Clavin, verblüfft über ihre Bewegung, stand reglos da und beobachtete sie neugierig. Die Granate, die in ihrer Hand aufgetaucht war, konnte sie nicht mehr entsichern. Die Frau hielt sich noch einen Moment aufrecht, wie eine antike Statue, bevor sie zu Boden fiel. Ihr Kopf rollte über den grauen Asphalt und blieb bei einer Riesendistel, die am Wegrand wuchs, liegen. Mehmet, der wie aus dem Nichts hinter der Frau aufgetaucht war, trat einige Schritte beiseite. Er strich seinen Säbel über das rechte Hosenbein und machte ihn sauber, bevor er ihn in die Scheide steckte.

In der Aufregung, die der Enthauptung folgte, kümmerte sich keiner um die andere Frau, eine zierliche Blondine um die vierzig, die wie angewurzelt dastand. Plötzlich sprang sie auf und griff nach der Handgranate, die neben der Leiche ihrer Kollegin lag. Dann holte sie Mehmet ein, der gerade im Begriff war, sich aus dem Staub zu machen, stellte sich vor ihn und schrie etwas auf Türkisch. Ihre kreischende Stimme erinnerte mich an sibirische Gänse, die unser Haus in Kaliskoje überflogen hatten, um in die nördliche Tundra zu gelangen, wo sie ihre Brutplätze hatten. Mehmet reagierte gereizt und hob die Hände, als wollte er sich wehren oder die blonde Frau wegstoßen. Doch sie wich ihm geschickt aus. Clavin bemühte sich, die Situation in den Griff zu bekommen, indem er die zierliche Blonde anbrüllte und zum Stehenbleiben aufforderte. Sie aber achtete nicht auf ihn, schrie etwas zurück und klammerte sich an Mehmet. Dieser versuchte vergeblich, sie loszuwerden, fuchtelte mit den Armen wie eine ramponierte Windmühle und verteilte Tritte, die aber nur die Luft beeindrucken konnten. Die Frau war erstaunlich stark und gelenkig. Und sie kämpfte wie eine Wildkatze. Schließlich, nach einer, höchstens zwei Minuten, schien es, als ob Mehmet den Kampf doch gewinnen würde. Er schüttelte die zierliche Frau ab. Einen Augenblick verharrte sie auf dem Boden und atmete schwer. Dann aber kam sie wieder auf die Beine und lief davon. Mehmet dagegen tänzelte auf der Wiese, während er sich eilig von uns entfernte und dabei vorne in seiner Hose verzweifelt mit der Hand herumsuchte. In diesem Moment wusste ich, was passieren würde. »Runter auf den Boden!«, schrie er noch in unsere Richtung, bevor Sekunden später die Granate explodierte.

Drei Männer unserer Gruppe hatte es voll erwischt, zwei weitere waren verletzt: Einer hatte den Daumen verloren und der andere einen Splitter in den Oberarm bekommen. Wir versorgten die Verletzten und kümmerten uns um die Toten. Am schwierigsten war es, die Überreste von Mehmet aufzusammeln. Sie waren überall. An der Stelle, wo ich ihn zuletzt gesehen hatte, war ein Krater entstanden und rötlich brauner Regen lag auf den Pflanzen.

Wir bereiteten das Feuer vor, um unsere Kameraden zu bestatten. Als die Flammen auflöderten, kam Clavin zurück. Er war hinter der zierlichen Frau hergelaufen. Er sagte, dass die Sache erledigt sei, und erntete dafür Beifall.

Wir widmeten uns dem Kleinlaster. Hinter der Schiebetür kam ein Dutzend zylindrischer Metallbehälter zum Vorschein. Sie standen in stabilen, hohen Holzkörben, die sie während des Transports schützen sollten.

Es war nicht schwierig, die Zylinder zu öffnen, sie hatten einen Deckel mit Schraubverschluss. Clavin machte einen Zylinder auf und entdeckte ein weiteres walzenförmiges Gefäß, das darin steckte, diesmal aus Glas. Er zog es heraus.

Es war mit einer trüben, grünlichen Flüssigkeit gefüllt, in der rötliche Würmer oder kleine Mäuse schwammen, wie wir meinten. Erst als Clavin den zweiten Behälter aufmachte, wurde uns klar, was sich tatsächlich in den Gläsern befand: Es waren Embryonen. Allem Anschein nach handelte es sich in diesem Fall um Menschenembryonen, und es war nicht zu übersehen, dass sie alle missgebildet waren. Schnell verschraubten wir die Zylinder wieder.

In einer Ecke im hinteren Teil der Ladefläche fanden wir zwei gelbe Plastiksäcke. Sie enthielten weitere Embryonen mit körperlichen Missbildungen; sie waren viel größer als die, die sich in den Glasbehältern befanden, und bei ihnen war schon die Verwesung eingetreten. Sie stanken nach Desinfektionsmittel und verfaultem Fleisch.

Die Säcke kamen in die Flammen. Eine dunkle Wolke kletterte in die Höhe, wie der Geist aus Aladins Wunderlampe. Es folgte die Aufforderung, in die Autos zu steigen und den Rückzug anzutreten. Nur Clavin und ich blieben noch auf der Straße, um die Sache zu Ende zu bringen.

Clavin wollte, dass ich werfe. Er kannte mich noch nicht besonders gut, und doch hatte er die Nerven, mir so etwas anzubieten. Ich hatte nichts dagegen, also warf ich in den Bauch des Kühllastwagens zwei Kryokapseln mit LH2 und eine entsicherte Granate. Mehr Zündkraft stand uns an diesem Tag leider nicht zur Verfügung. Gleich danach drückte Clavin voll auf das Gaspedal seines roten Fords. Die Hinterräder drehten kurz durch, dann schoss der frisierte Wagen wie aus einem Katapult und schaffte gut dreihundert Meter, bevor die erste Explosion eintrat. Dann knallte es noch zwei Mal.

Clavin bremste scharf und das Auto geriet ins Schleudern. Durch die verschmutzte Windschutzscheibe schaute er auf die herabfallenden Trümmer und grinste. Er mochte es, wenn etwas krachte und in die Luft flog. Ich auch. Und er mochte es, wenn etwas wie am Schnürchen lief. Ich ebenso. Er klopfte mir kräftig auf die Schultern. Ich erwiderte seine herzliche Geste.

Kurze Zeit später stießen wir zu den anderen, die auf einer Kreuzung warteten, und fuhren zu unseren Frauen und Kindern. Eine dunkle Wolke begleitete uns.

〉 Jungfrau Rosa

Clavin hatte damals gelogen, als er behauptete, die Sache mit der zierlichen Frau sei erledigt. Er hatte sie nicht getötet, sie war ihm entwischt. Angesichts dessen, was diese Frau später leistete, kann ich nicht behaupten, dass ich heute darüber nicht glücklich wäre. Es freut mich, dass sie damals auf der Wiese vor Jena so gut in Form war und schneller als Clavin laufen konnte. Die Zierliche von damals ist nämlich die Große Erzeugerin von gestern. Sie ist die Frau, die geholfen hat, unser Weltbild zu erweitern, ja, es völlig neu zu gestalten: Jungfrau Rosa, Rosa Bizerbach, wie sie mit bürgerlichem Namen heißt, die Göttin aller Klone.

Ich persönlich verehre sie nicht, das muss ich auch nicht tun, weil ich kein Klon bin und, wie es scheint, auch nie einer sein werde. Mich kratzt es also nicht, wenn man ihre virtuellen Statuen an bestimmten Festtagen auf Fensterbänken in den von Geklonten bewohnten Häusern aufstellt und sie leuchten lässt, genauso wie es mich nicht die Bohne interessiert, wie oft sie bereits runderneuert wurde, wobei ich die Zahl fünfundfünfzig für ziemlich übertrieben halte. So oft können sich nicht einmal venusianische Schlangen häuten. Doch ich habe nichts gegen den Kult, den man mit ihr treibt. Ich gestehe, ich befürworte alle religiösen Kulte des Multiversums, in denen die Echten als Götter gefeiert oder angebetet werden. In den sich ständig runderneuernden Menschen liegt nämlich die Zukunft Gottes, und nicht in den Himmelblauen, das möchte ich klarstellen.

Die Ewig-Vierzigjährige, wie sie ihre Jünger und Jüngerinnen nennen, oder die Ewig-Gestrige, als die ihre Gegner sie bezeichnen, wurde nach der Landung beauftragt, das Klonverfahren auf der Erde zu vervollkommnen. Und sie hat es getan; mit Hilfe von Wissenschaftlern aus Niebo hat sie ihre Aufgabe erfüllt. Außerdem war sie diejenige, die das Klonen von menschlichen Embryonen überhaupt salonfähig machte, die den Echten ihre Ängste nahm, ihnen das ewige Leben versprach und ihr Wort auch hielt. Nach ihrer Fernsehansprache und nach der Ausstrahlung des Werbespots, der erste gelungene Duplikate beim Fußballspielen zeigte, strömten die Menschen in Scharen in die staatlichen Laboratorien, um ihr Erbgut freiwillig abzugeben.

Das Leben der ewig jungen Jungfrau Rosa wurde auf Gottes Homepage und in vielen hagiographischen Hologrammschriften für die Nachwelt festgehalten. In jeder noch so billigen Absteige für Klone findet man im Nachttisch ein rosafarbenes RIM-Gerät mit der darauf eingespielten Rosa-Botschaft, mit der Bibel der Geklonten, die die wichtigsten Lehren und Lebensstationen der Göttin enthält. Ich kann also wirklich auf Details verzichten, denn jeder kann in einem Buch nachschlagen oder im Kosmonet nachsurfen, wenn er Lust dazu hat und sich informieren will. Doch eine Sache liegt mir seit Jahren am Herzen und ich möchte sie jetzt loswerden:

Damals, im Ersten Krieg um die Luft, als wir Jungfrau Rosa trafen, wussten wir nicht, dass sie Jungfrau war. Wir wussten auch nicht, dass die Frau, die von Mehmet enthauptet wurde, die erste Ehefrau von Rosa Bizerbach war und Rita hieß. Abgesehen davon, dass die eine groß und ungeschickt im Umgang mit Waffen, und die andere klein und gut im Nahkampf war; und abgesehen davon, dass sie uns angelogen hatten und ein ziemlich hässliches Menschenbild abgaben, wussten wir über diese beiden Frauen nichts. Hätten sie sich zu erkennen gegeben, hätten sie uns gesagt, dass sie Wissenschaftlerinnen waren und was sie mit den Embryonen vorhätten, so wäre vielleicht für alle Beteiligten die Sache anders verlaufen.

Es ist verletzend für mich und für meine gefallenen Kameraden, immer wieder über die »französische Meute«, wie man uns bezeichnete, zu lesen, zumal mit Ausnahme von mir und Freyja, die nicht dabei war, alle in unserer Gruppe waschechte Türken waren. Frau Bizerbach, durch ihre Mutter selbst Halbtürkin, was sie auch nie bestritten hat, sollte es besser wissen, wie wichtig es wäre, diese Angabe in den grundlegenden Textquellen zu revidieren. Franzosen haben in dieser Geschichte nichts zu suchen, und da sie ausgestorben sind, sollte man sie in Ruhe lassen.

Nichts will ich beschönigen, nichts will ich vergessen. Es war Krieg, wir waren hungrig, wir haben Überfälle verübt. Wir waren grausam, die anderen waren es auch. Wir haben Menschen getötet und wir wurden von Menschen getötet. Daran sollte Frau Bizerbach denken, bevor die nächste Gesamtausgabe ihrer Werke erscheinen wird.

〉 Gestohlene Herzen

Am neunten Tag der gemeinsamen Reise mit unseren türkischen Freunden waren wir bis tief in die Nacht unterwegs. Unsere Vorräte gingen zur Neige und wir suchten fieberhaft nach etwas Essbarem. Wir erreichten ein Dorf, das mitten in gelb schimmernden Rapsfeldern lag. Mit ausgeschalteten Scheinwerfern fuhren wir langsam die Hauptstraße entlang.

Das Dorf schien völlig verlassen zu sein. Der Mond hielt sich hinter einer Wolke versteckt und sah wie ein angenagtes Fladenbrot aus.

Schließlich blieben wir vor einem Minimarkt stehen und drei unserer Männer gingen, mit Taschenlampen ausgerüstet, hinein. Als sie zurückkamen, präsentierten sie stolz ihre Beute: ein paar Dosen mit spanischen Artischockenherzen und zwei verbeulte Konserven mit Ananasscheiben. Wir stießen einen Hurra-Schrei aus. In dem Moment fiel ein Schuss und einer der Männer, der in der Ladentür stand, drehte sich halb um die eigene Achse und sank zu Boden. Zwei Dosen fielen ihm aus den Händen und rollten über das Straßenpflaster.

Ich zerrte Freyja unter einen der Wagen. Sie schrie vor Angst. Aus den Augenwinkeln beobachtete ich, wie die Menschen hin und her liefen und versuchten sich zu verstecken. Manche warfen sich auf den Boden, wo sie gerade standen, andere krochen unter Autos oder hasteten zum Laden. Dann trat Stille ein.

»Frohen Ramadan, verfluchte Kanakendiebe!«, ertönte eine sonore männliche Stimme. »Ich bin Kapitän Jörg! Die Falle ist zu! Und jetzt auf die Beine und Hände hoch! Sonst ballere ich weiter!«

»Bitte nicht schießen!«, schrie Freyja. »Es sind auch Kinder und Frauen unter uns!«

»Frauen? Was für Frauen? Ich sehe keine Frauen! Ich sehe nur vermummte Kanakenweiber! Dirk, was ist mit dem verfluchten Licht los? Pennst du, oder was?«

Auf einmal wurde es heller Tag. Der Parkplatz vor dem Laden wurde von Licht überflutet, das aus an hohen Masten befestigten Scheinwerfern kam.

»Hey, Türkenvolk, seid ihr taub oder wolltet ihr gerade beten? Nix da mit beten, Allah ist schon schlafen gegangen! Hoch mit euch!«

»Wir lassen uns nicht abknallen!«, schrie Clavin zurück. »Wir werden kämpfen!«

»Womit? Ihr habt bestimmt nicht mehr als ein paar lumpige Schießeisen, vielleicht noch einige Granaten. Was sehe ich denn da? Säbel? Habt ihr tatsächlich Säbel dabei? Ihr seid völlig plemplem! Habt ihr ein Museum geplündert? Antwortet, wenn ich frage!«

»Ja, das haben wir«, sagte Clavin, »hast du was dagegen?«

»Ist mir egal, du Wichser. Bist du der Anführer von dieser Horde?«

»Ja, der bin ich.«

»Na gut, also erkläre deinem Kanakenvolk, dass ihr umstellt seid, und zwar von zehn Spezialisten. Wir sind schwer bewaffnet, haben Panzerfäuste, Plutoniumgranaten und Schnellfeuerwaffen mit Nachtsichtgeräten. Reicht das, um dich zu beeindrucken? Oder willst du, dass ich noch unsere Elektrokanone erwähne?«

»Das ist aber ordentlich viel Aufwand für so eine kleine Gruppe wie wir es sind, finden Sie nicht?«

»Du gehörst zu den ganz Schlauen, nicht wahr?«

»Was wollt ihr eigentlich von uns? Wir haben doch nichts.«

»Ihr habt unsere Dosen, und dafür wollen wir eure Herzen stehlen.« Kapitän Jörg lachte höhnisch.

»Wir geben euch die Dosen zurück. Abgemacht?«

»Die kriegen wir sowieso wieder. Wir brauchen sie für unsere Jagd. Das sind unsere Köder zum Fangen von Kanaken. Aber Spaß beiseite, wir brauchen euch, und zwar lebendig. Habt also keine Angst! Ihr seid unsere Gefangenen. Wenn ihr euch anständig benehmt, wird nichts passieren. Die Genfer Konvention ist für uns kein Fremdwort!«

Clavin besprach die Lage mit uns und wir kamen zu dem Schluss, dass wir uns ergeben sollten. Mit erhobenen Händen versammelten wir uns vor dem Minimarkt. Die Freischärler kamen und nahmen uns die Waffen und die Autoschlüssel ab. Allen Männern wurden gleich die Hände mit Plastikfesseln auf den Rücken gebunden. Dann folgten die Frauen und die Kinder.

Kapitän Jörg befahl zwei von seinen Leuten, die Leiche und unsere Autos vom Parkplatz zu entfernen und alles für den nächsten Fang vorzubereiten. »Nicht vergessen, brav alle Dosen aufsammeln, putzen und schön ordentlich wieder in die Regale stellen, Dirk!«, schrie er. »Ich werde genau nachschauen.«

Die Peitschen knallten und wir gingen los.

Den langen Weg begleitete uns dröhnende Musik, die durch das heruntergekurbelte Fenster des Wagens von Kapitän Jörg tönte. Es war Musik, die keiner von uns Gefesselten gerne hörte.

Mitsingen mussten wir aber nicht. Kapitän Jörg tat das für uns und für seine Mannschaft. Er brüllte wie ein DJ auf einer Techno-Party.

❯ »Schattige Eiche«

Es dämmerte, als unsere Kolonne ein Tor erreichte. Ich schaute nach oben und bemerkte ein großes Schild mit einer Aufschrift, die mir bekannt vorkam. Auch Freyja hatte das über uns hängende Schild entdeckt. Sie war erschrocken und zitterte am ganzen Körper, während sie mich schnell auf den Mund küsste und sagte, dass sie mich liebe und dass sie mich immer lieben werde. Die Tränen traten mir in die Augen. »Ich liebe dich auch«, sagte ich. »Wenn etwas schiefläuft, dann treffen wir uns im nächsten Leben wieder. Versprochen?«

»Versprochen«, erwiderte sie. »Aber warte nicht so lange wie in diesem Leben. Komm gleich am Anfang zu mir.«

»Das werde ich tun, mein Föhrchen.«

Hinter dem Tor wurden wir getrennt. Freyja ging mit den anderen Frauen und Kindern weiter und verschwand in einem Container, der als Waschraum diente. Ich blieb mit den anderen Männern stehen und musste warten. Hinsetzen durften wir uns nicht. Erst gegen Mittag kümmerte man sich um uns.

Vor dem Waschen mussten wir uns ausziehen und der Reihe nach zum Friseur gehen. Die Frisur durften wir uns aber nicht aussuchen. Hugo, der vor dem Krieg als Hairstylist beim Fernsehen gearbeitet hatte, und seine Helfer legten großen Wert auf einen einheitlichen Haarschnitt. An diesem Tag, wie auch an allen anderen Tagen, war der kahl geschorene Kopf in Mode, die Haartracht der buddhistischen Mönche, der Sträflinge und der Skinheads.

Nicht weniger Wert legten die Barbiere auf Ganzkörperrasur. Und sie waren mit Leib und Seele bei der Sache, als sie uns mit Einwegapparaten trocken rasierten. Kein Härchen durfte übrig bleiben, angeblich wegen kleiner Tiere, die mit bloßem Auge kaum zu sehen waren.

»Warum benutzt ihr nicht Schaum oder Seife?«, fragte ich Hugo, als ich an der Reihe war. »Ihr habt doch genug von dem Zeug.« Ich zeigte auf das Regal an der Wand, in dem Kosmetika in Hülle und Fülle vorhanden waren.

»Tja, das würde uns bestimmt weniger Spaß machen«, antwortete Hugo grinsend.

Ich empfahl ihm, er möge sich zum Teufel scheren. Dafür schnitt er mich in den Unterleib. Ich schrie.

»Oh, das tut mir aber leid«, sagte er boshaft lächelnd. »Das nächste Mal schneide ich dir die Eier ab, mein wilder Hengst.«

Ich lag ausgestreckt auf einem tragbaren Massagetisch, schwieg bis zum Ende der Prozedur und bewegte mich nicht.

Das Wasser in der Dusche war kalt und roch stark nach Chlor. Da ich durstig war, trank ich einige Schlucke. Es schmeckte noch schlechter, als es roch. Doch mein Magen war tapfer. Bevor wir den Waschraum verlassen durften, bespritzte man uns noch mit einem Desinfektionsmittel. Es roch wie eine mir bekannte Pflanzenschutzchemikalie, die von einem Schweizer Konzern hergestellt wurde und in der EU verboten war. Aber nicht in Afrika oder in Südamerika. Auch nicht in Russland.

Nach dieser Behandlung mussten wir, ohne uns abzutrocknen, zu einer Baracke laufen, wo ein Araber Pyjamas verteilte. Sie waren noch original verpackt, so als hätte man sie gerade in einem Warenhaus gekauft, bunt und aus Seide. Der Araber erklärte, wir sollten Zeitungspapier darunter tragen, wenn uns kalt werden sollte. Mehr konnte er nicht sagen, weil ein anderer Häftling mit einem Elektroschockgerät in der Hand auftauchte und ihn zur Eile ermahnte. Es war Dragoman.

Schillernd wie Pfauenhähne wateten wir in Birkenstocksandalen durch lehmigen Boden zu dem Container, den wir ab diesem Tag unser Zuhause nennen durften. Mir wurde der untere Platz in einem Holzhochbett zugewiesen. Als ich ihn mit dem dicken Ali, der Probleme mit seiner Bandscheibe hatte, tauschen wollte, wurde er von Dragoman zusammengeschlagen.

Am Abend wurde zum Appell gerufen. Frauen und Kinder mussten sich rechts aufstellen, Männer links. Ich suchte Freyja und nur mit Mühe erkannte ich sie. Sie stand in der zweiten Reihe, ihr Kopf war kahl, wie bei allen anderen auch, und der blaue Pyjama, den sie trug, war ihr viel zu groß. Sie bemerkte mich ebenfalls und lächelte verlegen. Ich schickte ihr einen Kuss durch die Luft. Gleich danach spürte ich einen brennenden Schmerz in der Leistengegend und kippte um. Als ich mich aufraffte, sah ich Dragoman, der auf sein Elektroschockgerät zeigte und sagte: »Wir behalten dich im Auge, Freundchen!«

Der Kommandant tauchte auf, stellte sich vor und bat alle höflich, ihn einfach mit Massa Rudolf anzusprechen. Er hieß alle Neuankömmlinge herzlich willkommen und wünschte uns einen angenehmen Aufenthalt in seinem bescheidenen Camp »Schattige Eiche«.

Clavin unterbrach ihn und fragte laut, wann wir etwas zu essen bekommen würden, die Kinder seien hungrig. Der Kommandant entschuldigte sich seinerseits für die mangelnde Gastfreundschaft und bedauerte zutiefst, dass die Versorgung wegen Unzuverlässigkeit der Lieferanten momentan leider äußerst schlecht sei. Dann bat er, der Redner möge sich zu erkennen geben und freundlicherweise aus der Reihe heraustreten. Clavin, stolz wie er war, machte einen Schritt nach vorne und stellte sich vor den Kommandanten. Der schmunzelte, zog seine Schnellfeuerpistole und feuerte nur einen Schuss ab.

»Heutzutage muss man sparen, sparen und nochmal sparen!«, schrie er, während er auf Clavin hinunterschaute und ihn mit dem Schuh anstieß, um zu prüfen, ob er noch lebte. »Kugeln, mein lieber toter Mann, sind kostbarer als das Leben eines farbigen Mitbürgers.«

Auf einmal bewegte sich Clavin. Er versuchte, auf die Ellbogen gestützt, zu entkommen. Der Kommandant schaute mit Verwunderung auf seine Waffe, dann auf den kriechenden Mann und sagte: »Du bist mir aber einer! Das ist mir noch nie passiert! Tja, und was machen wir jetzt? Unser Publikum wartet doch auf ein großes Finale! Wir können es nicht enttäuschen. Zur Feier des Tages werden wir also unser Sparschwein schlachten müssen!« Der Kommandant richtete seine Waffe auf Clavin und drückte den Abzug.

Unmittelbar danach tauchten zwei mandeläugige Häftlinge in roten Schlafanzügen auf. Sie luden Clavins Leiche auf eine einrädrige Karre, die sie mitgebracht hatten, und verschwanden trippelnd hinter dem Container, in dem sich der Aufschrift nach die Küche befand.

Spätestens nach diesem Ereignis konnte jeder von uns wissen, dass wir an einem Ort der Verdammnis gelandet waren. Eine Stunde lang erklärte uns Massa Rudolf die Welt. Er sprach davon, was in seinem Camp erlaubt und was nicht erlaubt war, wobei erlaubt nur das Atmen war, alles andere gehörte zu den verbotenen Tätigkeiten. Dann erzählte er eine kurze Gutenachtgeschichte und schickte uns ins Bett.

› Eine ordentliche Portion Lehm

Das Leben im Lager »Schattige Eiche« war kein Zuckerschlecken. Das wissen heute alle, die sich für Geschichte interessieren. Die, die das nicht tun, wissen gar nichts.

Das Lager wurde kurz vor dem Ausbruch des Ersten Krieges um die Luft als Camp für Drogenabhängige errichtet. Dann, als es unerwartet schnell mit dem Krieg losging, wurde es gemäß den Notstandsgesetzen der Europäischen Union im Eilverfahren privatisiert und in ein Sammellager für Menschen in Not umgewandelt. Massa Rudolf, eigentlich Rudolf Strebnitz, ein Sozialpädagoge mit Diplom, einigte sich mit den EU-Behörden und bekam finanzielle Unterstützung und freie Hand, wie und in welchem Ausmaß er den Menschen helfen sollte. Und er half auf seine eher unorthodoxe Art und Weise. Er erfüllte sich dabei seinen Jugendtraum, einmal Kommandant eines richtigen Konzentrationslagers zu sein, und nicht nur im Computerspiel so zu tun, als wäre er einer.

Die Frauen und Kinder waren in einer Weberei beschäftigt, wo sie alte Stoffsäcke auftrennten und aus den gewonnenen

Fäden neue Stoffsäcke webten, die sie dann wieder zertrennen mussten. Alle Männer arbeiteten dagegen auf einem nicht weit entfernt gelegenen Feld, wo sie Lehm abbauten. Man hob eine Grube aus, und wenn sie groß genug war, schüttete man sie mit dem Lehm, den man aus einer anderen Grube gewonnen hatte, wieder zu. Es war sinnlose Knochenarbeit. Eine Schicht dauerte zwölf Stunden, dann durfte man so lange schlafen, bis man von einer Sirene geweckt wurde. Gewöhnlich passierte das schon nach vier Stunden. Man musste auf den Appellplatz eilen und eine Stunde Krankengymnastik unter Aufsicht eines Physiotherapeuten, den wir Daumenschraube nannten, durchstehen. Wenn die Leibesübungen vorbei waren, bekam man zwei, drei Löffel Dosenfutter, das man aus einem Pappbecher schlürfen musste. Ravioli und Sauerkraut gehörten zu den Standards. Für Allergiker gab es H-Milch. Mit dem Pappbecher musste man besonders sorgfältig umgehen. Ging er abhanden oder kaputt, bekam man die Nahrung direkt auf den Handteller, was nicht immer problemlos vonstatten ging, besonders wenn die Ravioli in hocherhitztem Zustand serviert wurden. Pappbecher konnte man von den Aufsehern ergattern. Man musste dafür verschiedene, größtenteils unkomplizierte Dienste leisten. In mancherlei Hinsicht hatten es dabei Männer und Jungen leichter, sich einen neuen Becher zu besorgen. Hin und wieder führte das zu Streitereien unter den Häftlingen, die aber nie tödlich endeten.
Die meisten von uns litten unter Schlafmangel und die, die es nicht geschafft hatten zu lernen, im Stehen zu schlafen, hatten weniger Chancen zu überleben. Wen die Wächter beim Schlafen während der Arbeit erwischten, der erhielt Stromschläge und Aufputschmittel. Wie ein normaler, gesunder Körper auf die Putschis reagieren kann, ist auf jedem Beipackzettel oder auf Gottes Homepage ausführlich beschrieben. Wie aber solche Mittel auf einen unterernähr-

ten Menschen wirken, ist kaum bekannt. Ich kann nur erzählen, was ich gesehen und selbst erlebt habe, ohne Anspruch auf Vollständigkeit: Ausgehungerte und aufgeputschte Menschen fangen nach einer Woche an, nicht zum Essen geeignete Dinge zu sich zu nehmen, zum Beispiel Lehm. Lehm ist unentbehrlich, wenn man eine Lehmhütte bauen will, als Mittagessen ist er dagegen völlig fehl am Platz. Wenn man zu viel Lehm verzehrt, wird der Verdauungstrakt verstopft und man stirbt unter großen Qualen.

Nach drei Wochen im Lager war ich so weit. Ich wurde beim unerlaubten Schlafen ertappt und man hatte mich mit Putschis vollgepumpt. Das war ein überragendes Erlebnis. Auf einmal fühlte ich mich wieder so kräftig, als könnte ich Bäume ausreißen. Das versuchte ich auch tatsächlich. Alle Pflanzen, die ich auf dem Feld fand, selbst die kleinsten, hielt ich für Bäume. Doch wenn ich versuchte, sie auszurupfen, gelang mir das leider nicht, weil ich zu schwach war. Mein Schatten war stärker als ich. Da hilft nur eine ordentliche Portion Lehm, sagte ich mir und fing an Lehm zu vertilgen. Anfangs schmeckte er mir überhaupt nicht. Dann aber, nach der nächsten Behandlung mit Putschis, konnte ich mir einbilden, nicht Lehm, sondern schmackhaften Kartoffelbrei mit Pilzsoße in meinen Mund hineinzustopfen. Gegen Abend leckte ich sogar meine Hände ab, als wären sie mit Honig beschmiert. Ich befand mich auf dem besten Weg, durch Lehm die Welt zu verlassen. Darüber war ich froh. Ich geriet in Ekstase.

Am nächsten Tag, gleich nach der Krankengymnastik, wurde ich zu Massa Rudolf gebracht. Er schaute mich an und lachte herzlich. Ich konnte mich nicht mehr auf den Beinen halten, ich ging auf die Knie.

»Gegengift, Klistier und Magen auspumpen«, hörte ich noch eine Stimme, bevor Dunkelheit eintrat.

❯ Spezialitäten des Hauses

»Wir müssen ein Missverständnis aufklären«, sagte der Kommandant. »Bedauerlicherweise habe ich erst vor kurzem durch Ihre geschätzte Frau erfahren, dass Sie Pole sind. Es tut mir leid, Herr Gepin, Sie können mir glauben, es tut mir aufrichtig leid, dass man das nicht schon früher feststellen konnte. Sie müssen wissen, ich habe großen Respekt vor Ihrer Nation.«

Seit meinem Zusammenbruch war eine Woche vergangen. Rolli, ein klein geratener Kroate mit einem Brustumfang größer als die Umlaufbahn des Saturns um die Sonne, der vor dem Krieg ein Fitnessstudio in Leipzig geführt hatte, hatte ganze Arbeit geleistet, um mich wieder auf die Beine zu bringen. Er hatte mir Vitamine gespritzt und mich fünf Mal täglich mit Trockenfutter für Hunde vollgestopft, das ich mit Holundersaft herunterspülen musste, wobei er stets betonte, wie sehr es ihm leid täte, mir keine Steroide anbieten zu können, weil diese von Kapitän Jörg gemopst würden. Doch es funktionierte und bereits am vierten Tag war ich wiederauferstanden und machte erste Versuche, mich auf eigenen Füßen fortzubewegen. Infolge von Rollis Behandlung war mein Körper allerdings so angeschwollen, dass ich den Eindruck hatte, ich müsste meine Haut ablegen, denn sie schien mir mindestens zwei Nummern zu klein. Aller Anfang sei schwer, tröstete mich Rolli, mit der Zeit gewöhne man sich sogar an Haferbrei mit Rattenfleisch und fände es bald ausgesprochen lecker. Seine Ausdrucksweise fand ich ein wenig daneben. Gerne hätte ich mir eine Ratte zubereitet. Und es war mir egal, ob ich sie mit oder ohne Haferbrei essen sollte. Hauptsache, sie wäre gegrillt. Doch keine Ratte war so beschränkt, bei uns im Lager ihr Dasein zu fristen. Alle waren in die Städte geflohen.

Am siebten Tag präsentierte mich der stolze Rolli seinem Boss. Und so saß ich jetzt Massa Rudolf in seinem Büro gegenüber und wir tranken Kaffee. Wie zwei Geschäftsleute oder wie zwei Klatschtanten. Ich hatte saubere Sachen an, eine Felduniform der ehemaligen Nationalen Volksarmee, in der ich steckte wie in einem Schwitzkasten. Der Kommandant trug eine ausgefallene, zeitlose Galauniform, die er sich aus verschieden bunten Garderobenstücken zusammengestellt hatte. Seine Hände steckten in weißen Handschuhen. Es war keine Modenschau, es war Krieg.

»Aber gut«, fuhr Massa Rudolf fort, »lassen wir die unangenehmen Dinge beiseite. Sagen Sie mir lieber, Herr Gepin, wie gefällt Ihnen unsere ›Schattige Eiche‹?«

»Wie meinen Sie das?«

»Sie haben sich unsere Containersiedlung bestimmt schon mit fachmännischen Augen angesehen, nicht wahr? Welchen Eindruck haben sie bis jetzt gewonnen? Wie finden Sie die Lage, die Umgebung, die Räumlichkeiten, den Umgang mit unseren Kunden? Alles, alles, was Sie zu unserem Camp sagen wollen, interessiert mich. Ich brenne buchstäblich darauf, Ihre Meinung zu hören.«

»Ich fürchte, ich kann Ihnen nicht ganz folgen.«

»Nun gut, dann muss ich also Tacheles reden. Ist bei uns Ihrer geschätzten Meinung nach alles so, wie es sein sollte? Oder haben Sie Verbesserungsvorschläge?«

»Ich weiß nicht so recht ...«

»Ja, ja, ich merke schon, wie Sie ein wenig die Nase über gewisse Sachen rümpfen. Ich verstehe, verstehe ... Die Baracken sind zu geräumig, ja, das stimmt! Und die Pritschen zu bequem, das stimmt ebenfalls. Ach so, das Essen! Ja, das Essen! Bestimmt gefällt Ihnen das Menü nicht. Ja, ich gebe zu, es ist etwas ausgefallen, zu vielfältig. Das ist unsere Schuld. Doch auf das berühmte Schwarzbrot mussten wir verzichten, weil es für unsere Zwecke zu nahrhaft wäre, folglich zu gesund. Und damit wäre der Sinn der Sache verfehlt. Wir sind hier, um Menschen in Not zu helfen, nicht um sie dick und dadurch unglücklich zu machen. Es ist uns gelungen, Dosen aufzutreiben. Sie wissen aber, wie das ist: Ravioli in Tomatensauce kann man so oft verdünnen, wie man will, doch Steckrübensuppe wird daraus nie. Und Steckrübensuppe sollte nun mal gemäß der Tradition die Hauptnahrungsquelle in jedem anständigen Camp sein. Doch das geht nicht, weil Steckrüben kaum noch angebaut werden. Sie sehen, auch wir haben unsere Probleme!

Um mein Kommandantenherz ganz vor Ihnen auszuschütten, erwähne ich noch eine Sache, die mir Sorge bereitet. Es geht um unsere fahrbare koreanische Leichenverbrennungsmaschine, die wir auf Leasingbasis übernommen haben. Sie steht auf unserem Parkplatz und rostet vor sich hin. Jede Woche bezahlen wir dafür Leasingraten, und doch dürfen wir sie nicht benutzen, weil die EU-Bürohengste sich nicht einigen können, ob sie uns eine Sondergenehmigung erteilen können oder nicht. Die und ihre blödsinnigen Umweltvorschriften! Dass ich nicht lache! Sie lassen sich Zeit, die Bürokraten, und wir, die sozusagen den Acker bestellen, müssen ihre Suppe auslöffeln. So bleibt uns nichts anderes übrig, als auf die städtische Müllverbrennungsanlage zurückzugreifen, was uns zusätzlich Geld kostet. Resümierend, Herr Gepin, kann ich Ihnen sagen, wir erheben keinen Anspruch auf Perfektion, wir sind Menschen, also machen wir manchmal Fehler. Seien Sie deshalb in Ihrem Urteil bitte nicht zu streng mit uns. Sie dürfen nicht vergessen, wir sind ein kleines bescheidenes Unternehmen, das sich mit den wirklich Großen in keiner Hinsicht messen will und kann. Nichtsdestotrotz ist unsere Sterberate bemerkenswert, das müssen Sie doch zugeben, oder?«

Fieberhaft fragte ich mich, was Massa Rudolf von mir wollte und was seine Ausführungen zu bedeuten hatten. Als ich nach der Tasse griff, um einen Schluck Kaffee zu trinken, merkte ich, wie stark meine Hand zitterte. Schnell zog ich sie zurück. Um ein wenig Zeit zu schinden, nickte ich ein paar Mal mit dem Kopf.

»Also doch«, der Kommandant sprang auf. »Sie sind mit uns zufrieden. Das ist ja wunderbar! Und das erfüllt mich mit Stolz! Gerade haben Sie mich zum glücklichsten Menschen der Welt gemacht. Wissen Sie das? Danke, danke, danke ... Wenn kein Geringerer als ein polnischer Spezialist unsere Arbeit schätzt, bedeutet das ... Ja, ich kann das gar nicht in Worte fassen, was das für mich bedeutet. Ich bin überwältigt, schlicht und einfach überwältigt.« Er fing an zu tanzen. »Darf ich bitten?«, fragte er und streckte mir seine Hand entgegen.

»Verzeihung, aber leider tanze ich nicht mit Männern.«

Er zwinkerte mit den Augen und sagte: »Nicht mal dann, wenn der Mann ein Kommandant des Konzentrationscamps ist, in dem Sie sich gerade aufhalten müssen?«

»Nein danke!«

»Ach kommen Sie, Herr Gepin, seien Sie nicht so verklemmt. Heute ist ein außergewöhnlicher Tag, machen Sie mir diese Freude, nur dieses eine einzige Mal.«

Ich stand auf, Massa Rudolf fasste mich um die Taille und drückte mich fest an seine Brust. Wir bewegten uns fließend einige Takte zu seinem Summen, dann führte er mich zu meinem Stuhl zurück und bedankte sich mit einem tiefen Knicks.

»Sie haben mich einen Spezialisten genannt«, warf ich unsicher ein, nachdem er sich gesetzt hatte. »Wie haben sie das gemeint? Was wäre in Ihren Augen mein Fachgebiet?«

»Das wissen Sie doch! Bauen und Verwalten von Konzentrationslagern! Eine polnische spécialité de la maison, sozusagen. Na, zufrieden? Ich habe viel über eure nationalen Errungenschaften auf diesem Gebiet gelesen. Ihr Polen wart doch diejenigen, die während des letzten Weltkrieges die besten Konzentrationslager bauten. Sie waren so vorzüglich konstruiert, dass sie bis heute noch völlig intakt geblieben sind und man sie sofort wieder in Betrieb nehmen kann. Ihr habt dort verschiedene Völker eingesperrt und aus der Welt geschafft. Zig Millionen Kunden habt ihr geholfen, die Erde zu verlassen. Was für eine bemerkenswerte Leistung!«

»Das ist nicht ganz richtig, Massa Rudolf ...«

»Rudi, nennen Sie mich bitte Rudi.«

»Also gut, Herr Rudi, wenn ich mich recht entsinne, waren das die deutschen Nazis, also gewissermaßen Ihre Landsleute.«

»Ach was, seien Sie bitte nicht so bescheiden! Die alten guten Nazis ... Im Vergleich mit euch waren die doch wirklich harmlos.«

»Da bin ich anderer Meinung. Man hat die Geschichte gefälscht.«

»Reden Sie keinen Unsinn! Internet, Filme und all die Bücher und Zeitungen können doch nicht lügen! Die polnischen Konzentrationslager sind weltberühmt, das weiß doch jedes Kind. Die Menschen haben ein gutes Gedächtnis, und ihr Erinnerungsvermögen ist unermesslich, das dürfen Sie, Herr Gepin, nie vergessen. Nun gut, ich habe keine Lust, mit Ihnen über Selbstverständlichkeiten zu debattieren, ich wollte Ihnen einen Vorschlag unterbreiten. Ich würde mich freuen, Sie in meinem Team zu haben. Bitte arbeiten Sie für mich als, sagen wir, Unternehmensberater. Einverstanden?«

Mir stockte der Atem.

»Was sollte ich da tun?«, fragte ich.

»Nichts, gar nichts. Ich will nur einen polnischen Lagerspezialisten an meiner Seite haben. Sie bekommen ein Büro zugewiesen und können im Grunde machen, was Sie wollen.«

Zehn Sekunden später hatte ich den Job. Der Kommandant drückte mir die Hand und freute sich, als hätte er nach lan-

gem Hin und Her endlich einen lukrativen Vertrag abgeschlossen.

»Da ist noch eine Kleinigkeit, eine Art Aufnahmeprüfung«,
sagte er danach. »Reine Formsache, aber dennoch notwendig. In meinem Camp habe ich eine recht bunte Mischung
von Farbigen versammelt, das ist Ihnen bestimmt aufgefal-
len. Mir fehlen aber noch einige seltene Exemplare und Sie
könnten mir eines davon besorgen. Sie bekommen einen
Wagen und fahren ein bisschen in der Gegend herum. Und
wenn Sie das gesuchte Exemplar finden, bringen Sie es zu
mir.«

»Haben Sie denn keine Angst, dass ich mich aus dem Staub
mache?«

»So etwas würde doch kein Pole tun! Kein Pole verlässt sein
Konzentrationslager, wenn er dort sein Büro hat. Darüber
hinaus bleibt Ihre Frau noch bei uns, sozusagen als Pfand.
Übrigens, Sie haben eine sehr schöne Frau.«

»Sie war schon mal schöner.«

»Sie meinen, bevor man ihr die Haare abgeschnitten hat.
Ich mag glatte Haut.«

»Was geschieht mit meiner Frau?«

»Was sollte ihr schon Großartiges passieren? Sie arbeitet
für uns.«

»In der Weberei?«

»Wo denn sonst.«

»Könnte ich sie sehen?«

»Nachher. Hören Sie, Herr Gepin, machen Sie sich keine
Sorgen um sie. Ihr wird kein Haar gekrümmt, das kann ich
Ihnen versprechen.«

»Sie hat ja keine Haare mehr.«

»Ich werde persönlich dafür sorgen, dass ihr welche nach-
wachsen.«

»Also gut, ich mache diese Prüfung. Wer würde Sie interessieren?«

»Es ist eine heikle Sache, das muss ich gestehen. Am meisten würde ich mich über einen echten Kalmücken freuen.«

»Das ist nicht Ihr Ernst!«

»Doch!«, sagte er und lächelte mich listig an.

»Wozu brauchen Sie einen Kalmücken?«

»Das sollten Sie besser wissen als ich.«

»Warum nehmen Sie nicht mich?«

»Sie sind mir nicht kalmückisch genug. Ihre Seele ist bei meinem Test durchgefallen.«

»Was hat meine Seele damit zu tun?«

»Ich halte sie für ungeeignet für meine Zwecke.«

»Sie wollen mich loswerden.«

»Das ist Ihre Sicht der Dinge, Herr Gepin.«

»Warum ließen Sie mich nicht einfach krepieren?«

»Der Held in einem Computerspiel sollte immer ein Zusatzleben haben, wenn nicht zwei oder auch mehr. Wussten Sie das nicht?«

»Sie spielen gerne.«

»Ja. Außerdem habe ich Ihrer Frau versprochen, mich gut um Sie zu kümmern.«

› Nackt durch eine blühende Wiese

Mir wurde ein Auto zur Verfügung gestellt, ein klappriger Volkswagen, der nicht nur an der Karosserie ein Lifting nötig hatte. Der Kommandant kam zum Tor, um sich persönlich von mir zu verabschieden. Er reichte mir einen Hockeyschläger und eine Panzerfaust. »Mehr kann ich Ihnen nicht geben, Herr Gepin. Es wäre gegen die Vorschriften, und alles muss doch seine Richtigkeit haben. Fahren Sie los und kommen Sie bitte erst dann zurück, wenn Sie einen Kalmücken für mich haben.«

Er war bereits im Weggehen, als er sich noch einmal umdrehte und rief: »Ach so, noch eines, schaffen Sie das nicht bis morgen Abend, dann wird Kapitän Jörg losgelassen. Er kann Farbige aus großer Entfernung riechen und mit Polen hat er auch keine Probleme. Bon voyage!« Er lachte vergnügt.

Ich brauchte also nicht mehr auf den Busch zu klopfen, um zu erfahren, was er mit mir vorhatte. Und auch das Rätselraten, warum er das tat, war zu Ende.

Die Jagd hatte begonnen.

Der flüssige Wasserstoff im Tank reichte für knappe vierzig Kilometer. Ich brauchte nicht nachzusehen, ob Massa Rudolf die Reserve-Kryokapseln mit LH2 im Kofferraum gelassen hatte, denn ich wusste, dass er Kapitän Jörg befohlen hatte, sie abzumontieren. Alle vier Lämpchen am Armaturenbrett leuchteten rot.

Eine ganze Weile saß ich im Auto und dachte nach. Die Sonne schien heiß und die Bäume entlang der Straße warfen kurze Schatten. Es war ein schöner Tag.

Erst nachdem ich ausgestiegen war, bemerkte ich drei Hunde auf einer Anhöhe. Sie fletschten die Zähne, als sie mich erblickten, und gingen auf mich los. Ich griff nach dem Hockeyschläger und wartete ruhig. Ein sachter Wind bewegte die Blätter.

Die Hunde waren schwächer, als ich erwartet hatte. Der Kampf dauerte kaum so lange, wie das Absingen der Multiversumhymne. Ich trug zwei leblose Hundekörper in den Wagen, zog meine Uniform der Nationalen Volksarmee aus und warf sie auf den Fahrersitz. Während ich mich entfernte, zählte ich die Schritte. Dann drehte ich mich um und legte die Panzerfaust an. Diesen Typ kannte ich, bei vollem Sonnenschein musste man immer ein wenig tiefer zielen, besonders wenn die Entfernung um die vierhundert Meter lag. Ich drückte ab. Es war keine schöne, aber eine recht solide Explosion. So war es nun einmal, wenn man deutsche Fabrikate mit schwedischen Waffen in die Luft jagte.

»Jetzt hat der Held ein Leben weniger, Herr Kommandant«, sagte ich und warf das Abschussrohr ins Gras.

Den dritten toten Hund warf ich mir über die Schulter.

Nackt ging ich durch eine blühende Wiese und dachte an Freyja.

Dann hängte sich ein Bienenschwarm wie eine Klette an mich und ich hatte viel zu tun.

Vor dem Schlafengehen aß ich rohes Hundefleisch. Es war zäh wie Leder, schmeckte aber lecker.

Welch ein Glück, dass ich damals noch gute Brücken und Kronen im Mund hatte und einen wahren Straußenmagen besaß. Heute würde mich rohes Fleisch auf der Stelle umbringen.

❯ Wo ist mein Lunchpaket?

Sechs Tage später stand ich in einem Birkenwald zwei Soldaten gegenüber. Es waren Kalmücken, die den russischen Streitkräften angehörten. Da ich ihre Sprache kannte, gab es keine Verständigungsprobleme. Auf meinen Wunsch hin führten sie mich zu ihrem ranghöchsten Offizier. Major Ratuschkin erwies sich als kooperativer Mensch. Ohne viel Gerede gab er den Befehl zum Abmarsch.

Noch bevor an diesem Tag die Sonne unterging, wurde das Lager »Schattige Eiche« befreit. Der Angriff wurde so präzise und überraschend durchgeführt, dass die Wachen es gerade einmal schafften, drei Schüsse abzufeuern, dann war bereits alles vorbei.

Ich suchte Freyja, doch keiner wollte mir sagen, wo sie zu finden war.

In der Felduniform der russischen Armee ging ich zu Massa Rudolf. Er saß im Büro hinter seinem Schreibtisch und war so vertieft in ein Computerspiel, dass er mich nicht einmal bemerkte, als ich mich ihm näherte. Ich klappte seinen Laptop zu. Er sprang auf.

»Sind Sie von Sinnen?«, schrie er wütend. »Was machen Sie denn? Ich war gerade dabei, das zweiundvierzigste Level zu erreichen!«

Plötzlich erstarrte er und schaute mich verwundert an.

»Was suchen Sie hier?«, fragte er. »Ihre Frau ist nicht da. Ich weiß nicht, wo sie ist. Übrigens, sind Sie nicht in Ihrem Wagen umgekommen? Kapitän Jörg hat doch Ihre Überreste gefunden.«

»Herr Kommandant«, sagte ich leise, »ich habe ein paar Kalmücken mitgebracht.«

»Eine wundervolle Neuigkeit. Aber ich wollte doch nur einen. Wie viele sind es?«

»Eine ganze Kompanie. Vor wenigen Minuten haben wir die Macht in Ihrem Lager übernommen.«

Massa Rudolf starrte mich eine Weile an.

»Darf ich meinen Spielstand speichern?«, fragte er.

»Das dürfen Sie nicht.«

»Nun gut, dann werde ich mich wohl ergeben müssen«, sagte er und nahm die Hände hoch. »Und ich bereue alles, was ich Ihnen und anderen Menschen angetan habe. Hiermit erkläre ich mein Projekt ›Schattige Eiche‹ für gescheitert. Nehmen Sie mich bitte in Gewahrsam. Wo ist mein Lunchpaket für Kriegsgefangene? Haben Sie es dabei? Sind da auch Orangen und Schokolade drin? Wenn nicht, dann muss ich dagegen offiziell Einspruch erheben!«

»Wir sehen uns im nächsten Leben, Rudi. Keine gute Vorstellung für mich.«

Er war überrascht, als ich meine Pistole aus dem Halfter zog und sie auf ihn richtete. Er wollte sich umdrehen und nach seiner Waffe in der Schreibtischschublade greifen, doch er schaffte es nicht. Die Kugel traf ihn in die linke Schulter.

»Spätestens morgen bin ich wieder da«, sagte er, bevor er umfiel.

Er lebte noch.

Ich beugte mich über ihn, führte den Pistolenlauf in seinen Mund und drückte ab.

Ich betrachtete seine Leiche, die vor mir in Fötusstellung auf dem Boden lag, und empfand nichts.

Ich nahm den Laptop vom Schreibtisch, suchte den Raum nach Ersatzakkus ab, fand vier Stück, steckte alles in meinen Rucksack und verließ das Büro.

Draußen versammelte sich eine Menschenmenge.

»Der Kommandant hat soeben Selbstmord begangen«, sagte ich.

Die Leute brachen in Jubel aus.

Dann führten wir alles zu Ende. Kapitän Jörg und seine Jäger peitschten wir aus und vergruben sie im Lehm. Dragoman wurde so lange mit seinem Elektroschockgerät traktiert, bis sein Herz es nicht mehr aushielt. Während Dragomans Hinrichtung versuchte Daumenschraube, unser Physiotherapeut, sich heimlich abzusetzen. Doch er konnte nicht schneller laufen als eine Kugel, die aus einer Pistole abgefeuert wurde. Er kroch noch eine Weile, dann blieb er im Schatten eines Haselnussstrauchs liegen. Noch am späten Abend hatte man gesehen, dass er sich bewegte.

Ein trauriges Schicksal war Hugo, dem Hairstylisten, und seinen Helfern beschieden. Am nächsten Morgen wurden sie auf ihrer Arbeitsstelle tot aufgefunden. Der Frisiercontainer war voller Blut und Hautfetzen.

Keiner konnte mir sagen, wo Freyja begraben wurde.

Drei Tage später kehrte alles in den Normalzustand zurück. Der dicke Ali und seine Leute übernahmen die Macht im Lager. Sie rissen alle Vorräte an Aufputschmitteln an sich und kontrollierten die Ausgabe von Dosenfutter. Ravioli wurde nur an diejenigen verteilt, die sich bereit erklärten, die Arbeit in der Weberei beziehungsweise auf dem Lehmfeld wieder aufzunehmen.

Das alles habe ich aber nicht mehr mitbekommen, denn ich war schon längst über alle Berge.

› Nicht meckern

Den Laptop benutzte ich noch viele Jahre. Nie habe ich die Festplatte ausgewechselt oder neu formatiert, nie ein neues Betriebssystem darauf installiert, keine Datei von Massa Rudolf habe ich je gelöscht oder geändert, mit einer Ausnahme: Das Spiel, das ich am Tag seines Todes unterbrochen hatte, spielte ich weiter. Als ich beim neunzigsten Level war, erschien auf einmal die Meldung »Game over«. Am nächsten Tag löschte ich das Endergebnis und begann, das blöde Jump'n Run Spiel von neuem.

Ich weiß nicht, warum ich so gehandelt habe und ich werde es wohl nie erfahren. Dafür ist die Zeit zu knapp. Freyja meint, es wäre eine Art Grabstein, den ich für Massa Rudolf aufgestellt hätte. Manchmal kann sie wirklich auf ungewöhnliche Gedanken kommen.

Kurz nach meiner zweiten Runderneuerung machte ich Schluss, ich warf den Laptop ins Wasser. Der Fluss hieß Ilanka und floss durch Reppen. Ich besuchte damals dieses Städtchen, weil ich die Stelle im Wald finden wollte, wo meine heilige Mutter einst verscharrt worden war. Das ist mir leider nicht gelungen, trotz all der ultramodernen technischen Geräte, die mir zur Verfügung standen. Da ich beim Wegwerfen des Laptops von einem Umweltspäher angepeilt und gefilmt worden war, durfte ich als Strafe für die unerlaubte Entsorgung von elektronischen Datenverarbeitungsanlagen zwei Jahre lang keinen Urlaub am Meer beantragen. Ich war froh, mit heiler Haut und noch dazu so billig davonzukommen. Einer meiner Bekannten wurde einmal erwischt, als er eine alte Compactdisc wegwerfen wollte, und man verurteilte ihn zu fünf Jahren gemeinnütziger Arbeit sowie zum Entzug aller Kombattantenvergünstigungen. Kurze Zeit später starb er an Lebensmittelvergiftung, weil seine Krankenkasse sich weigerte, für einen Schwerverbrecher teure Heilmittel zu bezahlen.

Übrigens, fünfzehn Jahre nach dem Zweiten Krieg um die Luft bat ich um Aufnahme in den Kombattantenverband, Abteilung Europa. Dabei bekam ich eine solche Abfuhr, dass Freyja zwei Wochen brauchte, um mich einigermaßen zu beruhigen. Ich sei ein Drückeberger gewesen, hatten sie mir geschrieben, und ein Verräter, der einen ehrenwerten Mann namens Rudolf Strebnitz kaltblütig erschossen habe. Und ich sei es nicht einmal wert, dass man hinter mir ausspucke. Das war keine würdige Form des Briefverkehrs! Der Kombattantenverband war offensichtlich von Banausen und Schurken unterwandert. Mein Widerspruch, den ich nach dieser Absage ordnungsgemäß einreichte, wurde nicht einmal an die Himmelblauen weitergeleitet. Klar, es musste ja so kommen, denn der Chef des Kombattantenverbandes war damals Bruce, und der Schatzmeister Autoatlas, zwei Gauner, die einst verlangt hatten, dass ich eine Lokusgrube für sie aushob.

Niebieskis' Mühlen mahlen langsam, mahlen aber trefflich fein! Einige Zeit später las ich mit Genugtuung auf Gottes Homepage, welches Schicksal den zwei Gaunern beschieden war. Im Rahmen der Bereinigung der Gesellschaft und der Umverteilung von Altlasten hatte man alte Krieger zum allmählichen Entsorgen bestimmt. Die Himmelblauen hatten per Gesetz allen Mitgliedern des Kombattantenverbandes weitere Runderneuerungsmaßnahmen verweigert. Ein Glück, dass ich nicht zu dieser Bande gehörte!

Ohne Runderneuerung lebt ein Echter nur so lange, wie seine Leber mitmacht. Zur Not kann man neue Gefäße, ein neues Herz oder sogar neue Nieren im Heimlabor züchten, wenn man sich damit auskennt und das Labor von der Außenwelt gut abgeschirmt ist. Doch eine Leber zu reproduzieren führt immer zum Misserfolg. Nicht, dass die menschliche Leber biologisch gesehen so kompliziert wäre. Alle, wirklich alle Organe des menschlichen Körpers können von einem einigermaßen ausgebildeten Gen-Gärtner durch Zucht vermehrt werden. Nicht reproduzierbar aber ist ein Spaltpilz, mit dem die Himmelblauen unsere Leber gleich nach der Landung infiziert hatten. Ohne dieses Bakterium kann heutzutage kein Mensch normal funktionieren, geschweige denn ein Klon. Durch diesen Eingriff sicherten sich die Blauen exklusive Rechte an der Runderneuerung von Erdenbewohnern. Eine göttliche Idee!

Bruce, Autoatlas und andere Untergrundkameraden starben, wenn ihnen niemand Sterbehilfe leisten wollte, meistens durch Selbstmord oder an Leberversagen. Trotz aggressiver Propaganda ist es den Himmelblauen bis heute nicht gelungen, alte Krieger zu überzeugen, dass der Lebertod und nicht der Kopfschuss die ehrenwerteste Form des Todes ist. Im Anblick des Todes lassen sich die Menschen selten hinters Licht führen und sie schalten auf stur. Damit haben die Himmelblauen nicht gerechnet.

Und solche Geschöpfe wollen uns den Weg ins neue Zeitalter weisen! Dass ich nicht Purzelbäume schlage!

Doch Schluss für heute. Ich muss mal. Meine Prostata spielt seit einigen Tagen verrückt. Wie lange sie noch mitmacht, ist unbekannt. Genauso unbekannt ist, wie lange ein Echter ohne Prostata am Leben bleiben kann. Im menschlichen Körper gibt es immer noch so viele Geheimnisse, so viele ungelöste Rätsel. Ja, das hat man davon, wenn man in einer Welt lebt, in der alle ständig am Herumklonen sind und kaum jemand den Mut aufbringt, zu den wahren Wurzeln des Menschendaseins zurückzukehren.

Dass wir im Zeitalter des Regenbogens leben, bedeutet noch lange nicht, dass wir aus der Barbarei heraus sind.

Doch warum sollte ich meckern? Schon bald kommt der große Tag, meine vierte Runderneuerung.

Es lebe das neue Leben!

Es leben die Blauen!

› Radieschenbilder

Von Gottes Homepage verschwinden Informationen. Kaum zu glauben, aber es ist tatsächlich wahr.

Dieses Phänomen habe ich zum ersten Mal vor ungefähr zwanzig Jahren entdeckt. An einem regnerischen Spätabend im Juli wurde ich plötzlich von einer Nostalgiewelle erfasst und wollte mir im Kosmonet Bilder von Radieschen anschauen. In meiner Kindheit mochte ich Radieschen sehr, besonders die langen, weißen, die man Eiszapfen nannte. Die Suche war erfolgreich und ich war zufrieden. Doch als ich am nächsten Morgen versuchte, die Radieschen-Homepage nochmals aufzurufen, tauchte eine völlig andere Seite auf, eine Seite über Ahnenforschung bei den Niebieskis. Seltsam, dachte ich. Was mich aber besonders stutzig machte, war die Tatsache, dass die Radieschenseite nicht nur aus dem Kosmonet, sondern auch aus dem Cache meines Explorers verschwunden war. Dann wiederholte sich der gleiche Vorgang mit anderen Seiten.

»Wir müssen aufpassen, da ist etwas im Busch«, sagte ich zu Freyja. »Das geht über meinen Verstand. Gottes Homepage scheint Beine zu kriegen. Wer weiß, vielleicht wird sie sich eines Tages ganz vom Acker machen.«

»Du siehst schon wieder Gespenster«, sagte sie. »Und unser Medizinmann ist gerade im Urlaub.«

Doch die Entwicklung der Dinge bestätigte meine Vermutung. Im Lauf der vergangenen Jahre entschwanden von der Homepage Gottes nach meiner groben Schätzung mindestens dreißigtausend Seiten. Zugegeben, überwiegend war das nur Schrott, unnützes Zeug, das keiner brauchte.

Wer interessiert sich zum Beispiel für seit langem ausgestorbene Indiostämme am Orinoko oder für Drawänopolabisch, die Sprache der Westpolaben, eines slawischen Volkes, das einstmals das Hannoversche Wendland besiedelte? Wer braucht schon Auskünfte über den Anbau von Zuckerrüben in Europa im Zeitalter des Nichtregenbogens oder über das traditionelle Dreifeldersystem bei den Zulus oder über den Export von Pfifferlingen aus dem Reppener Wald in der Ära des Sozialismus? Wer würde schon nach Erklärungen für den Regierungswechsel in Padua im frühen Mittelalter oder für den Zerfall der Europäischen Union und die Wiedereinführung der nationalen Währungen suchen? Kein normaler Mensch, geschweige denn ein nichtnormaler Geklonter.

Auf den ersten Blick scheint es, als ob nur Seiten getilgt worden wären, die kaum Besucher aufweisen konnten oder die veraltet waren. Das aber ist eine Täuschung. Es wurden auch Seiten entfernt, die für viele Kosmonetbenutzer quasi lebenswichtig sind.

Was soll man zum Beispiel davon halten, wenn sich alle Kochrezepte plötzlich in Luft auflösen? Oder wenn dasselbe mit den Informationen über die Öffnungszeiten der Verpflanzungsbehörden oder der Krankenhäuser geschieht?

Da steckt bestimmt mehr dahinter. Da steckt ein Plan dahinter!

Das Spiel der Himmelblauen nimmt offenbar immer grausamere Formen an. Es ist aber auch nicht ausgeschlossen, dass sie langsam die Kontrolle verlieren.

Zwei Mal habe ich eine Seite von Gottes Homepage sterben sehen, also den genauen Moment ihres Verschwindens erwischt. Es ist nichts Spektakuläres dabei, alles geschieht leise und unauffällig, wie beim Tod einer Eintagsspinne vom Mond, möchte man sagen.

Man betrachtet gerade eine Seite, man liest einen Text oder man klickt auf ein Bild, um es zum Beispiel in seiner vollen Pracht zu betrachten, und dann passiert es: Die Farbe macht sich allmählich davon, die Pixel entschwinden, und der Bildschirm wird blasser und blasser, wie bei einem Niebieski, wenn ihm der Saft zu Kopf steigt oder wenn er erregt ist. Die Wörter lösen sich auf, als hätte sie jemand mit einem Staubsauger von den Buchstaben befreit. Dann sieht man auf einmal eine schneeweiße Fläche, die bedrohlich und gleichzeitig einladend wirkt.

Man denkt, jetzt sei es aus und vorbei. Es ist aber keineswegs vorbei. Die Aufführung geht weiter. Binnen weniger Sekunden löst sich das Weiß in einer völligen Leere auf. Wenn man mutig genug ist, in diese Leere, in diesen grenzenlosen Abgrund hineinzuschauen, überkommt einen ein seltsames Gefühl, ein Gefühl der Ratlosigkeit und des Bedauerns. Man will weinen, aber man ist nicht in der Lage dazu, die Tränen erstarren in den Augen. Wenn man sich in diesem Moment nicht losreißt, wenn man nicht aufsteht und weggeht, sondern weiter hineinsieht, dann kann etwas Wunderbares und Schreckliches zugleich geschehen.

Als zum ersten Mal eine Seite in meiner Anwesenheit starb, saß ich allein vor meinem Bio-Monitor. Gerade in dem Moment, als ich anfing, in die Leere zu starren, schaltete sich mein Computer plötzlich aus. Ich dachte an Stromausfall und eilte zum Sicherungskasten. Da war aber alles in Ordnung. Erst später, nach der Geschichte mit Freyja, konnte ich mir auf diesen Vorfall einen Reim machen: Mein kalmückischer Vater hatte mich nicht vergessen und noch nicht aufgegeben. Obwohl ich bereits hundertachtzehn Jahre grau war, wachte er immer noch über mich und sorgte sich um mich. Ich hoffe, dass er das bis heute tut.

Beim zweiten Mal, einige Monate später, holte ich Freyja aus unserem Schlafzimmer, damit auch sie sehen konnte, was da auf Gottes Homepage vor sich ging. Sie setzte sich in ihrem weißen Bademantel auf meinen Sessel. Ich stand neben ihr und beobachtete sie.

»Nun, habe ich dir zu viel versprochen?«

Freyja reagierte nicht. Sie lächelte mich nicht einmal an, sondern schaute gebannt auf den Bildschirm.

Und dann geschah etwas Seltsames, etwas so Fremdartiges, dass ich noch heute erschrecke, wenn ich daran denke: Meine Geliebte, meine Freyja wurde unscharf. Ja, anders kann ich das nicht ausdrücken. Sie begann zu flimmern und sich zu verflüchtigen. Ich sprang zu ihr und versuchte, sie festzuhalten. Sie an den Armen zu packen war aber nicht möglich. Sie hatte keinen Körper mehr, keine Haut, keine Muskeln, keine Knochen. Sie befand sich in einem gasförmigen Zustand und wurde zu einer Wolke, deren Umrisse nur vage an die wirkliche Freyja erinnerten.

Es war entsetzlich. Ihre Verwandlung dauerte bestimmt nicht länger als ein Werbespot bei Canal n+1, doch in den paar Sekunden hatte ich den Eindruck, ich befände mich inmitten der Ewigkeit und hätte die reine Unendlichkeit erfahren.

Wie zur Salzsäule erstarrt stand ich da und war nicht in der Lage, eine andere Bewegung zu machen, als mit den Augen zu rollen.

Und dann, dann war Freyja auf einmal ganz verschwunden, nur ihr weißer Bademantel lag noch auf dem Sessel. Ich glaubte, sie sei vom Bildschirm aufgesaugt worden, wie die Spinnweben an der Wand von einem Staubsauger.

Dem war aber nicht so, wie sich später herausstellte. In dem Moment allerdings war ich fest entschlossen, meiner Geliebten zu folgen.

Als einige Augenblicke später meine Lähmung vorüber war, sprang ich kopfüber in den Bildschirm. Doch das war keine kluge Entscheidung. Beim Zusammenstoß spürte ich keinen Schmerz. Erst danach, als ich das Blut auf den Boden tropfen sah, schrie ich. Doch nicht vor Schmerz, sondern vor Wut. Ich hatte den Bildschirm mit meiner Stirn getötet. Er lag vor mir, ein geschlachtetes Raubtier, mit herausgerissenen bionischen Eingeweiden, die wie ein Teller Kutteln dampften und entsetzlich stanken.

Dies ist auch der Grund, warum ich all die Bio-Geräte seit ihrer Einführung auf unserem Planeten nicht mag. Wenn sie kaputt gehen, beginnen sie sofort übel zu riechen. Das liegt daran, dass sie nicht nach dem Prinzip des menschlichen Gehirns konstruiert wurden, wie das anfänglich geplant war, sondern über ein Verdauungssystem verfügen. Bio-Computer und Bio-Monitore muss man regelmäßig füttern. Zugegeben, sie essen nicht viel und Feinschmeckerkost brauchen sie auch nicht, es sei denn, jemand hält Tintenfischpulver für eine Leckerei. Doch es passiert nicht selten, dass die Regale mit der Nahrung für Bio-Gegenstände leer sind, was die Verbraucher dazu zwingt, sich auf dem Schwarzmarkt umzuschauen. Mit der guten alten Elektronik gab es solche Probleme nicht.

Zwei Monate wusste ich nicht, was ich mit mir und der Welt anfangen sollte. Andauernd dachte ich an Selbstauslöschung. Ohne Freyja schien mir das Leben nicht mehr lebenswert zu sein. Die angeblich göttliche Idee, dass wir im Laufe des Lebens unsere Nächsten verlieren müssen, damit unsere Entwicklung weitergehen kann, erschien mir grausam.

Welcher Dummkopf hat eigentlich als erster frech behauptet, ein Verlust würde das Dasein des Menschen bereichern? Der Tod hat mit den vier Jahreszeiten nichts zu tun. Der Tod schließt den Ring und es gibt keinen neuen Anfang.

Obwohl ich mit dem Hauptgott, dem Großen Schweiger, nichts am Hut hatte, erinnerte ich mich plötzlich an ihn und fing an, zu ihm zu sprechen. Gemäß dem Motto »Not lehrt beten« betete ich. Dann bettelte ich. Doch er saß auf seinem hohen Ross und rührte sich nicht.

Als es mir sehr schlecht ging, tauchte mein Vater wieder auf. Kein bisschen war er älter geworden. Immer noch lief er herum wie der junge Kosmonaut, der geschickt worden war, den luftleeren Raum über unseren Köpfen zu erobern.

»Alle Versuche zu kommunizieren sind zwecklos«, sagte er. »Schweigen, mein Sohn, gehört auch zu den guten Methoden, am Leben teilzuhaben. Und Schweigen ist älter als alle Dinge. Es war da, bevor die Dunkelheit und das Licht entstanden.«

Als ich versuchte, ihn in ein Gespräch zu verwickeln, wurde er unscharf wie eine verwackelte Fotografie.

»Du bekommst deine Freyja zurück. Aber es ist das letzte Mal«, sagte er hastig und verschwand durch die Wand.

Am nächsten Abend klopfte es an meiner Wohnungstür.

Als ich öffnete, schälte sich Freyja aus der Dunkelheit. Sie war nackt und lächelte verlegen. Ich ließ sie herein. Sie verlor kein Wort über ihre Abwesenheit, und ich fragte sie nicht, wo sie gewesen war. Ich nahm sie bei der Hand und führte sie ins Schlafzimmer. Sie roch nach Thymian und Levkojen, wie unser Garten abends im Hochsommer.

Es folgten glückliche Tage, Monate und Jahre. Wir lebten in einer flaumigen, warmen Schale, die still durch das Multiversum steuerte.

› Aus der Sicht eines Robokkers

Vier Monate nach der Befreiung des Lagers »Schattige Eiche« war der Erste Krieg um die Luft vorbei. Man hatte einen Friedensvertrag ausgehandelt und die Russen, die inzwischen halb Europa besetzt hatten und bis München, Magdeburg und Hamburg vorgedrungen waren, zogen sich in ihre Ursprungsgebiete zurück.

»Der russische Bär hat seine Arbeit getan, der russische Bär kann gehen«, sangen die Soldaten beim Abzug. Alle in Europa mochten damals dieses wehmütige Lied, doch nicht alle weinten mit, wenn es im Radio lief.

Bald war das Stromnetz wieder repariert und man fing an, die Menschen mit Talkshows und Werbespots zu betäuben. Die Handys funktionierten wieder, man konnte online sein und alle Kreditkarten wurden akzeptiert. Kurzum, alle Europäer waren wieder glücklich und zufrieden.

Dann jedoch wurde es erneut brenzlig. Aber so ist es schon immer gewesen, denn der Mensch lebt nicht vom Brot allein, manchmal braucht er ein bisschen Krieg. Manchmal auch mehr.

In seiner Neujahrsansprache zur Lage der Nation rückte der brasilianische Präsident mit der Sprache heraus. »Wir sind nicht allein«, lauteten seine historischen Worte. »Außerirdische Wesen weilen unter uns, und das schon seit Jahrzehnten.« Nach und nach äußerten sich die Staatsoberhäupter anderer Länder ähnlich. Der Rest ist bekannt.

Die Menschen fühlten sich betrogen und belogen, gerieten in Panik und gingen auf die Straße. Die UNO ergriff Maßnahmen zur Schadensbegrenzung, doch es gelang ihr nicht, die Eskalation der Gewalt zu verhindern. Der Zweite Krieg um die Luft brach aus. Diesmal aber handelte es sich nicht um einen Regionalkonflikt, sondern um einen echten Weltkrieg. Die Erde, von der Sonne aus der dritte der zwölf Planeten unseres Sonnensystems, fing an zu brennen. Ein schönes Bild, zumindest aus der Sicht eines Robokkers.

Freyja und ich vergruben uns im ehemaligen Zisterzienserkloster in Lehnin. Nächtelang saßen wir vor Rudis Laptop und lasen in der Homepage Gottes wie in der Apokalypse. Unsere Welt schien nicht mehr nur verrückt zu sein – es herrschte der helle Wahnsinn!

Die Außerirdischen waren in aller Munde, doch nur wenige hatten sie je zu Gesicht bekommen. Man wusste nicht, wie sie aussahen, was sie von uns wollten oder was sie zu Mittag aßen. Man wusste gar nichts über sie. Viele Gerüchte waren in Umlauf und viele Ammenmärchen sind damals entstanden. Wichtig wäre, an dieser Stelle die Chiplosen und die Vergesslichen daran zu erinnern, dass es sich zu Beginn des Krieges, und auch später, nicht um die uns wohlbekannten Niebieskis handelte, sondern um eine völlig andere Rasse. Genauer gesagt, um vier verschiedene, nicht von der Erde stammende Völker, die sich entschlossen hatten, bei uns, auf unserem irdischen Fleckchen des Multiversums, einen Kampf um die Vorherrschaft in eben diesem zu führen. Was sie sich dabei dachten und ob sie überhaupt denken konnten, wusste nicht einmal der Kuckuck. Die Himmelblauen, unsere Niebieskis, tauchten erst im vierten Jahr des Chaos auf und bemühten sich, alle Beteiligten zur Vernunft zu bringen. Nicht immer mit friedlichen Mitteln, das ist bekannt.

Doch ich will nicht abschweifen. Nachdem ich das Lager »Schattige Eiche« verlassen hatte, geschah mit mir etwas höchst Seltsames, etwas Merkwürdiges, und noch heute weiß ich nicht, wie ich das beschreiben soll. Vielleicht einfach so: Ich begann, ein Doppelleben zu führen. Nicht in täuschender Absicht, oh nein! Es wurde mir einfach aufgezwungen, mein zweigleisiges Leben. Bald erreichte ich den

Punkt, an dem ich nicht mehr wusste, welche meiner Existenzen real und welche nur ein Trugbild war. Befand ich mich gerade auf dem Schlachtfeld, um für die Freiheit zu kämpfen, wie es auf der Homepage Gottes stand, oder saß ich gemütlich im Zisterzienserkloster in Lehnin? Säuberte ich gerade meine Waffe mit einem in Rapsöl getunkten Putzlappen oder pflanzte ich am gleichen Morgen Setzlinge von roter Bete in die Erde? Half ich meinem verwundeten Kameraden oder liebte ich soeben Freyja? Was war wirklich, was nicht?

Bis ich verstanden hatte, dass ich gleichzeitig in zwei verschiedenen Dimensionen lebte und alles, was ich sah und erlebte, wirklich war, plagten mich Gewissensbisse wegen Freyja und ich dachte, ich sei verrückt geworden. Was ich besonders merkwürdig fand, war die Tatsache, dass es mir in jedem einzelnen Zustand immer bewusst war, dass es da noch ein anderes Leben gab und was ich in diesem gerade tat. Am Anfang verwirrte mich das, dann aber hatte ich gelernt, mit der verzwickten Situation umzugehen. Und so lebte ich meine beiden Existenzen synchron, und alles, was ich dabei empfand, war intensiv wie niemals vorher.

Freyja stand mir dabei zur Seite. Sie half mir, das Ganze zu begreifen und zu akzeptieren. Zwei Leben gleichzeitig zu führen, das war für sie gewissermaßen nichts Neues. Immer wenn sie schlief, weilte sie in einem Land, das sie aus dem normalen Leben nicht kannte. Ihre Träume spielten sich in anderen, unbekannten Welten ab, wo sie selten Personen traf, die real auf der Erde lebten oder je gelebt hatten.

An dem Tag, an dem ich Freyja anvertraute, dass ich ein Doppelleben führte, setzten wir uns vor den Laptop in unserer Klosterstube und betrachteten Gottes Homepage.

»Schau mal, was da steht«, sagte Freyja. »Die da oben glauben, ich lebe nicht mehr, ich sei im Lager umgekommen. Der arme Rudolf habe mich getötet, bevor er geflohen sei.

Das aber ist, wie du siehst, erstunken und erlogen. Ich sitze doch gerade neben dir, kann also gar nicht tot sein. Weißt du was, mein liebes Schwänzchen, wir müssen aufpassen. Vielleicht werden die da oben demnächst versuchen, mich tatsächlich zu sich zu holen. Das dürfen wir auf keinen Fall zulassen!«

Als sie das sagte, wusste ich noch nicht, wovon sie sprach. Erst Jahre später wurde mir klar, wie Recht sie mit ihrer Vermutung hatte.

〉 Reinheitsgesetze

Gemäß der Darstellung auf der Homepage Gottes zog ich mit Major Ratuschkin und seinen kalmückischen Soldaten weiter. Wir befreiten noch sechs andere Lager und entwaffneten Horden von Freischärlern. In zahlreichen Dörfern und Städten empfingen uns die Überlebenden als Befreier. Der Ruf einer unbeugsamen Truppe eilte uns voraus. Man nannte uns die Krieger des Abends, weil wir eine Vorliebe für Angriffe bei Sonnenuntergang hatten.

Die schlimmsten Kämpfe ereigneten sich in Schwerin, wo wir uns eine Straßenschlacht mit dem Gelben Freikorps lieferten. Der Feind war gut organisiert und schwer bewaffnet, außerdem wusste er die Vorteile des Heimspiels zu nutzen. Eine Woche dauerte unser kleiner Stellungskrieg, auf beiden Seiten gab es starke Verluste. Tanja, der Tochter und Adjutantin von Major Ratuschkin, verdankten wir schließlich den Sieg.

Es war allgemein bekannt, dass die Jungs vom Gelben Freikorps eine Schwäche für Männer, für schöne Männer hatten. Und Tanja war schön, schöner als der schönste Latinoklon vor seiner Umwandlung. Dass sie genetisch gesehen kein Mann war, stellte zwar ein Problem dar, war jedoch, wie sich im Laufe der Ereignisse zeigte, für ihr Vorhaben von geringer Bedeutung. Sie brauchte sich nicht einmal zu verkleiden, weil sie ohnedies die gleiche Uniform wie die Männer trug, und kurz geschoren war sie ebenfalls, wie das damals bei allen Kämpfern Mode war. Ansonsten hatte sie schmale Hüften und schmale Schultern – von der Figur her ähnelte sie also einem Knaben, der Unisex praktizierte. Das war in diesem Fall ihr Vorteil.

Am Nachmittag täuschten wir einen Angriff vor. Die Gelben schluckten den Köder und eröffneten sofort das Feuer. Nach einigen Salven und Detonationen zogen wir uns in gespielter Panik zurück und hielten erst an, als wir den Stadtrand erreichten. Währenddessen blieb Tanja wie geplant blutbeschmiert wie ein abgeschlachtetes Huhn unweit der Stellung der Gelben liegen. Sie bewegte sich von Zeit zu Zeit, um dem Feind zu zeigen, dass sie noch lebte. Bei Anbruch der Dunkelheit nahmen die Gelben sie gefangen. Auch wir versetzten den feindlichen Verletzten niemals den Todesstoß, denn sie waren zu wertvoll, weil man sie jederzeit gegen Gefangene aus den eigenen Reihen eintauschen konnte.

Doch die Gelben überlegten es sich anders, als sie bemerkten, wie attraktiv der geschnappte »Junge« war. Sie sperrten Tanja nicht in den Keller, sondern führten sie direkt zu ihrem Anführer. Im Freikorpsstab angekommen würgte Tanja auf der Toilette den Sprengstoffteig heraus, den sie, in Folie eingewickelt, vor unserem fingierten Angriff geschluckt hatte. In einem Hosenbein hatte sie einen Minisender eingenäht, im anderen den Miniempfänger, beide aus chinesischer Produktion. Sie formte den Teig zu einem Penis, in dessen Eichel sie den Empfänger versenkte, und versteckte ihn zwischen den Beinen. Dann ging sie in Begleitung von zwei Freischärlern in den Hauptraum, wo sie vor versammelter Mannschaft feierlich geschändet werden sollte, wie es bei den Gelben Brauch war.

Die Explosion, die kurz darauf erfolgte, war ein wahrer Augenschmaus. Beinahe das gesamte vom Freikorps kontrollierte Gebiet flog in die Luft. Ungin, unser Sprengstoffspezialist, konnte stolz auf sich sein. Er hatte die Menge des Teigs richtig bemessen; eine Prise mehr, und uns wäre das gleiche Schicksal wie den Gelben beschieden gewesen. Für den Rest der Nacht hob Major Ratuschkin das Alkoholverbot auf. Wir tranken bis zum Umfallen. Das tat uns gut.

Keiner von uns wusste, wie Tanja es geschafft hatte, das Inferno zu überleben, nicht einmal sie selbst. Nach ihrer Rückkehr sagte sie nur, sie glaube, sie habe richtig Schwein gehabt, und verlangte eine neue Felduniform, denn ihre alte bestand nur noch aus Fetzen, was nicht ganz uninteressant aussah.

Am nächsten Morgen war Tanja nirgendwo zu finden. Wir durchkämmten die Umgebung, doch sie blieb wie vom Erdboden verschluckt.

Erst Jahre später sah ich sie unverhofft wieder, und zwar im Fernsehen. Unverändert, genauso schön und jung wie ich sie in Erinnerung hatte, stand sie neben einem dicken Niebieski, der die frohe Botschaft über die Eröffnung eines neuen Betriebs für die Produktion von Blausaft in der Antarktis verkündete. Sie schaute mir direkt in die Augen und lächelte mich strahlend an. Jedenfalls kam es mir so vor.

Freyja schaltete sofort den Fernseher aus und machte mir eine Szene. Sie wollte nicht glauben, dass damals zwischen mir und Tanja nichts gewesen war. Sie hatte Recht.

Tanja war der erste von den Himmelblauen gerettete Mensch, den ich persönlich kannte. Wir stehen immer noch in Kontakt. Sie lebt im Moment auf Niebo. Trotz der Reinheitsgesetze wagte sie es, zwei Kinder mit einem Himmelblauen zu zeugen. Ihr Sohn starb kurz nach der Geburt, ihre Tochter überlebte und musste mit zehn Jahren in eine spezielle Klinik, wo man mit außergenetischen Mischlingen experimentierte.

Die vierte Runderneuerung wurde Tanja versagt, sie weiß also nicht, wie viel Zeit ihr noch bleibt. Sie ist mit einem Niebieski zusammen, mit Grukos, der damals, als sie nach der Zerstörung des Nestes der Gelben in die Luft flog, in der Maschine saß, die sie abfing. Dass wir sie später in unserem Lager sehen konnten, war ein virtueller Trick der Himmelblauen. Angeblich wollten sie uns nur aufmuntern und uns zeigen, dass ab und zu wahre Wunder geschehen können. Diese Art von Spielerei habe ich nie besonders geschätzt.

Tanjas wundersame Rettung ist für mich ein klarer Beweis dafür, dass die Niebieskis bereits im Ersten Krieg um die Luft ihre langen Finger im Spiel hatten, und nicht, wie ständig betont wird, erst später aus ihrer Dimension herausschlüpften.

Doch solche Beweise bleiben fruchtlos, denn sie werden nie ernst genommen, selbst wenn sie von veritablen Augenzeugen stammen. Nur das, was auf der Homepage Gottes stehe, habe Anspruch auf Wahrheit und Vollkommenheit, versucht man uns seit Dezennien weiszumachen.

Ob das der Hauptgott wirklich beabsichtigte, als er seine Domäne schuf?

Und ob er weiß, in wessen Hände seine Ewige Homepage geraten ist?

❯ Kugelsichere Ganzkopfhelme

Die Nachricht vom Ende des Ersten Krieges um die Luft erreichte unsere Truppe, als wir in einem verwüsteten Vorort von Hamburg unser Lager aufschlugen. Die Meldung beeindruckte uns nicht besonders, wir hielten sie für eine Ente und beschlossen weiterzukämpfen. Dem Befehl zum Rückzug aller Einheiten nach Russland, den unser Funker später zufällig auffing, leisteten wir nicht Folge. Für uns war der Krieg noch nicht vorbei. Wir hatten uns an den Krieg gewöhnt. Wir hatten nichts zu verlieren und wir wollten weitermachen. Wir zogen von Ort zu Ort, immer auf der Suche nach einem Versteck und nach etwas Essbarem und wir töteten viele Feinde, wobei wir nicht mehr wussten, wer jetzt unser Feind war. Das tägliche Töten war uns zur liebsten Gewohnheit geworden.

Wie sich herausstellte, taten wir recht daran. Nur einige lumpige Monate nämlich herrschte Frieden, dann ging es wieder los. Diesmal aber richtig, weltweit. Der neue Krieg um die Luft brach aus. Jeder wollte jedem an den Kragen. Und wir, die alten Krieger, konnten uns jetzt den Feind aussuchen. Unsere Wahl fiel auf die Janitscharen, auf reguläre Truppen also. Etwas Reguläres zu bekämpfen ist immer ehrenhafter, als arme Schlucker zur Strecke zu bringen. Außer wenn man das mit bloßen Händen tut.

Von Januar bis Mai lief alles wie geschmiert. Wir kämpften, plünderten und hatten geringe Verluste.

Am dritten Tag des Roten Monats wurden wir nicht weit entfernt von der Küste von einer schwedischen UNO-Einheit eingekesselt. Obwohl die Übermacht des Feindes groß war, versuchten wir uns durchzukämpfen und zur Nordsee zu gelangen. Man kann nicht sagen, dass wir dabei besonders erfolgreich waren. Die Schweden hatten kugelsichere Ganzkopfhelme und klimatisierte Uniformen aus Spezialfasern, denen unsere Kugeln nichts anhaben konnten; sie prallten von ihnen ab wie Pingpongbälle. Die Schweren Reiter, wie sie offiziell hießen, benutzten Gewehre mit vier Läufen und schossen mit Plasma-Schockern und Plutoniumkugeln auf uns. Erbarmungslos. Was für eine Barbarei! Was für eine Verschwendung!

Unsere Truppe wurde dezimiert und Major Ratuschkin entschloss sich zu Verhandlungen mit den UNO-Gaunern. So legten wir, die Krieger des Abends, unsere Waffen nieder und gerieten in Gefangenschaft. Nur die Gefangenschaft bei den Khutirri, den vom Aussterben bedrohten Ureinwohnern von J465, bei denen seit der vierten Welle der Kolonisierung ihres Planeten tierischer und menschlicher Samen als Hauptnahrungsquelle dient, hätte schlimmer für uns ausfallen können.

Alle überlebenden Krieger wurden gleich zur Sterilisation geschickt. Das war damals die übliche Vorgehensweise. Gemäß den antiterroristischen New Yorker Beschlüssen wollte man vermeiden, dass die kriegerischen Gene weitergereicht würden. Major Ratuschkin und sieben weitere Kalmücken starben infolge der Sterilisation, zwanzig weitere Männer begingen Selbstmord. Ich überlebte. Glück war dabei nicht im Spiel. Es lag am Plan, am göttlichen Plan, der die meisten von uns zwingt, in kleinen Raten zu sterben, jeden Tag, jede Stunde nur ein bisschen. Nur den Mutigsten wurde der schnelle Tod und die daraus folgende schnelle Reinkarnation gewährt.

Als ich meine Kameraden sterben sah, schwor ich Rache. Dadurch gewann mein Leben wieder einen Sinn.

Während einer Routineuntersuchung nach der Vasektomie, die bei mir durchgeführt wurde, fand ein Arzt, der aus Uppsala stammte und den wir »Ups à la« nannten, heraus, dass ich verwanzt war. Er geriet vor Freude völlig aus dem Häuschen, als er den in meiner Halsschlagader eingepflanzten Wetterchip zum Aufzeichnen der Schwankungen meines Barorezeptorreflexes entdeckte. Er wollte ihn unbedingt haben, ihn auf der Stelle herausschneiden. »Ein Skalpell muss her! Gebt mir sofort ein Skalpell!«, schrie er, während er mit den Armen fuchtelnd aus dem Untersuchungszimmer in einen Nebenraum rannte.

Man musste kein Rotodianer sein, um zu wissen, dass in diesem Moment meine Überlebenschancen auf Null gesunken waren: Ich lag festgeschnallt auf einem provisorischen Operationstisch, und das Einzige, was ich noch tun konnte, war, die Augen offen zu halten und eine Fliege zu beobachten, die im strahlenden Licht einer Lampe ihre Pirouetten drehte. Doch Rotodianer beherrschen im Multiversum die Wahrscheinlichkeitsrechnung mit Hilfe bloßer Gehirnzellen zwar am besten, haben aber kein Gespür für den wirklich planmäßigen Ablauf der Dinge. Geplanter Zufall ist ihnen völlig fremd.

Ups à la kehrte nicht mehr lebend zurück. Als er mit dem Skalpell in der Hand zu mir eilen wollte, stolperte er über seine eigenen Füße und fiel so unglücklich auf die Klinge, dass sie seine Halsschlagader durchbohrte. Bevor Hilfe kam, verblutete der arme Mann. Währenddessen schloss ich Freundschaft mit der Fliege.

Nach diesem Vorfall spielte ich verrückt.

Man brachte mich in eine Isolierzelle, damit ich mich beruhigte. Das war mir recht. Ich kauerte auf dem Boden und aß meinen eigenen Kot. Den Urin trank ich auch. Einige Tage dauerte es, bis ich aufhörte, nach den Mahlzeiten zu erbrechen. Weitere Tage vergingen, bis ich zu einem Arzt gebracht wurde. Er untersuchte mich nicht, sondern hielt eine Ansprache. Ich fand es bemerkenswert, dass er sich entschlossen hatte, Spanisch mit mir zu sprechen. Dann lächelte er mich an und unterschrieb meine Einlieferung in die Psychiatrie.

Als ich für den Transport in eine Zwangsjacke gesteckt wurde, war die Fliege tot.

› General Kurkuma

Zwei Monate später gelang mir die Flucht aus der Anstalt. Ich schloss mich einer Gruppe von Marodeuren an und zog mit ihnen herum. Erfüllt von Hass und Angst, plünderten wir und töteten, was uns unter die Finger geriet. Bald wurde ich zu einem Zombie. Die Bande nannte sich Europas Schweinehunde und war eine bunte Mischung aus ehemaligen Freischärlern, Lagerhäftlingen und Regulären, die nicht in ihre Einheiten zurückkonnten, weil sie befürchteten, man würde sie entsorgen. Sie waren nicht zu beneiden, weil sie ihre Identifikations-Chips entfernen mussten, um die Ortung zu verhindern, wodurch ihre Lebenserwartung auf höchstens acht Monate verkürzt wurde.

Über meine jüngste Vergangenheit sprach ich kein Wort, denn für Unpersonen, die im Verdacht standen, mit den Russen zusammengearbeitet zu haben, hatten sich die Jungs eine besondere Behandlung ausgedacht. Und sie wussten es zu vermeiden, dass der Patient dabei schreien konnte. Sie waren Experten und ich habe viel von ihnen über die menschliche Anatomie gelernt. In der Gartenkolonie »Rote Bete« hatte man keinen Wert auf die Anwendung von Folter gelegt. Kein Wunder also, dass wir in manchen Bereichen kaum Erfolge verbuchen konnten. Durch ein Gespräch mit einem Gegner kann man viel erreichen, doch Folter wirkt wahre Wunder.

Einer der Schweinehunde war besonders grausam, er nannte sich Katapulto und war quasi unser Anführer. Ein kalter Schauer lief mir immer den Rücken hinunter, wenn ich zusah, wie er mit Zange, Elektroschocker oder Hammer hantierte. Seine Frau und seine vier Kinder waren aufgrund eines Irrtums der Janitscharen in ihrem Einfamilienhaus lebendig verbrannt worden, und er selbst hatte viele Monate in einem Lager in Südfrankreich verbracht. Er sprach nicht viel und hörte bei der Arbeit gerne Musik. Das wertvollste, was er besaß, war für ihn ein alter MP3-Player.

Drei Monate vergingen. Allmählich wurde es für uns schier unmöglich, etwas Essbares oder neue Waffen und Munition aufzutreiben. Wir waren fast am Ende. Die Regulären kontrollierten immer größere Gebiete und jagten uns tiefer nach Süden. Als sich also die Möglichkeit bot, uns den aufständischen Einheiten anzuschließen, zögerten wir nicht lange. Es sei doch viel eleganter, andere Menschen im Namen einer Ideologie oder der Freiheit umzubringen, als wegen Hunger oder bloßer Habgier, konstatierte Katapulto, bevor er die Uniform wechselte. Alle Schweinehunde machten es ihm nach.

Nun waren wir keine Banditen mehr, sondern Aufständische, ehrenwerte Krieger also. Unsere Gewohnheiten hatten sich dadurch aber nicht groß geändert. Nach wie vor hatten wir eine ausgeprägte Vorliebe für UNO-Janitscharen. Wir töteten sie sehr gerne. Noch besser fühlten wir uns, wenn sich die Gelegenheit zur Verstümmelung eines Schweren Reiters ergab. Unter ihrer schicken Uniform mit Klimaanlage hatten sie meist eine wirklich zarte Haut, und ohne ihre Ganzkopfhelme waren ihre Schädel nicht widerstandsfähiger als, sagen wir, Flaschenkürbisse. Wenn sie platzten, erinnerte mich das Geräusch an die Kürbisernte in meinem Garten. Nur duftete es völlig anders.

General Kurkuma, der Oberbefehlshaber der Untergrundarmee, wusste, was für schräge Vögel wir waren, aber er duldete schweigend unsere Exzesse. Nach einer Panne allerdings, die uns fünf Tote bescherte und bei der sechs unserer besten Leute in Gefangenschaft gerieten, zeigte er sich unversöhnlich.

»Schluss mit der Wilderei«, sagte er zu mir. »Unser lieber Katapulto sitzt bei den Janits im Kittchen und wird schon bald in einem Knabenchor singen. Und du bist schon zu alt für das Feld. Ich brauche dich hier.«

Unsere Einheit wurde aufgelöst. Ich wurde zum Offizier mit besonderer Verwendung ernannt und bekam ein eigenes Zelt und einen Adjutanten.

Nach der Eroberung von Lauenburg rief mich Kurkuma zu sich.

»Ich habe die Arschkarte gezogen«, sagte er und entblößte seinen Oberarm.

Ich betrachtete seine Wunde. Ich hatte schon viele solcher Wunden gesehen und ich kannte die Bedeutung der roten Linien, die Kurkumas Haut wie Blitze durchzogen.

»Sie schmeißt Eiter aus wie ein Vulkan Lava. Sie will nicht mehr heilen, und das Virus wird mich zerfressen.«

»Seit wann ist es so?«, fragte ich.

»Vor vier Wochen hat sie sich wieder geöffnet.«

»Du warst also ein Regulärer.«

»Ja, ich war einer von ihnen. Und ich ließ meinen I-Chip vor acht Monaten rausschneiden.«

»Da bleiben dir nur noch wenige Tage.«

»So ist es.«

»Willst du, dass ich es tue?«

»Nein, ich will richtig abtreten, mit Funken und Knall.«

»Gut, das lässt sich arrangieren. Sag mir Bescheid, wenn du so weit bist.«

Drei Tage später übernahm ich das Kommando. Viele Krieger kamen, um sich von Kurkuma zu verabschieden. Sie bildeten ein Spalier, durch das er langsam in seinem Wagen fuhr und ihnen zuwinkte. Es sollte ein würdiger Abschied sein. Alle wussten, dass er todgeweiht war und was er vorhatte. So etwas sprach sich schnell herum.

Der Plan war simpel wie der Verdauungstrakt eines Sandalentierchens: General Kurkuma sollte sich zu den Janitscharen begeben, das Tor ihres nahe liegenden Lagers durchbrechen und die ganze TNT-Ladung, die in seinem Wagen verstaut war, zur Detonation bringen. Er sollte der erste Selbstmordattentäter aus unseren Reihen sein, der erste Heilige Held.

Doch offensichtlich sollte an diesem Tag alles schiefgehen, so dachte ich zumindest anfangs. Aus irgendwelchen Gründen konnte Kurkuma die Ladung nicht zünden und er wurde abgefangen, wie unsere Späher, die ihm unauffällig gefolgt waren, berichteten. Erst später, nach der Auswertung der Satellitenbilder durch unsere Abwehrabteilung, erfuhr ich, dass Kurkuma einen Fehler begangen hatte.

Alles auf dem Film, den wir zu sehen bekamen, deutete darauf hin, dass er sich freiwillig gestellt hatte. Sofort dachten wir an Verrat und unsere Enttäuschung war riesig, denn wir hatten nicht nur einen brauchbaren Geländewagen und eine Menge TNT an den Feind verloren, sondern auch unser Gesicht.

Doch später erfuhr ich aus Gottes Homepage mehr über General Kurkuma und seine Tat. Er stellte sich den Janitscharen nicht in der Absicht, uns oder die Sache zu verraten, sondern um sich selbst zu helfen. Er hoffte, die Janits hätten Zugang zu einem Wundermittel, das ihn heilen könnte.

Er irrte sich gewaltig. Gegen das Q-Virus war kein Kraut gewachsen. Ein Regulärer, der seinen Identifikations-Chip entfernt, hatte keine Chance, er musste sterben.

Während des Verhörs sagte General Kurkuma kein Wort darüber, dass er General bei den Aufständischen war, geschweige denn ihr Oberbefehlshaber, er sprach nur über seine Vergangenheit als Regulärer und bat um ein Gegengift. Die Janits wussten aber, wer er war. Da sie Spione unter uns hatten, wussten sie sogar ziemlich viel. Wir wussten ebenfalls eine Menge über sie, denn unsere Agenten sonnten sich keineswegs auf der Haut eines Faultiers, wie man in Südamerika sagt, und sie konnten ihre IPS-Geräte hervorragend bedienen. Die Janitscharen wollten General Kurkuma täuschen und gaben ihm eine Spritze mit dem angeblichen Heilmittel, um großzügig zu erscheinen und den Gefangenen zum Reden zu bringen. Kurkuma durchschaute jedoch ihre List und sprach bis zu seinem Tod kein Wort mehr. In einer einzigen Nacht fraß das Q-Virus buchstäblich seinen Kopf auf.

Inzwischen erfüllte ich meine Pflicht als Anführer. Es war eine unangenehme Aufgabe. Ich fühlte mich wie ein Mensch mit kleinen Füßen in viel zu großen Schuhen. Nach dem Vorfall mit General Kurkuma waren die Krieger gereizt und gerieten leicht in Streit. Die Moral der Truppe sank wie die nächtliche Temperatur in der Wüste und es häuften sich Schlägereien und Zwischenfälle mit Waffen. Da ich nicht wusste, wie viel Kurkuma dem Feind verraten hatte, befahl ich den Rückzug nach Norden. Das war klug von mir. Die Janitscharen erwarteten uns nämlich südlich von Hannover, wo sie ihre Sperren errichtet hatten. Um große Gebiete des Landes hatten sie gewaltige Laserzäune gezogen, so dass keine Maus hindurchkommen konnte. Wir waren aber keine Mäuse und wollten auch gar nicht durch.

Wir verschanzten uns in den künstlich angelegten Wäldern der Lüneburger Heide. Sie waren noch vollkommen intakt: Die Bäume standen dort, wie Bäume im Wald zu stehen haben, die Pilze wuchsen, wenn es geregnet hatte, und wenn es warm war, wucherte und verbarg das Unterholz Insekten, das Wild vermehrte sich und streifte durch die Gegend wie lebendige Kühlschränke. Für uns war es nicht ohne Bedeutung, dass diese Wälder kaum kontrolliert wurden, weil sie als stark verseucht galten. Radioaktivität störte uns nicht. Man schmeckte sie nicht, man roch sie nicht, man sah sie nicht. Wenn man nicht gerade Spezialgeräte zur Hand hatte, bemerkte man sie nicht einmal. Geiger-Müller-Zähler aber waren bei uns Mangelware.

Ich hatte absolut keine Idee, wie der Kampf weitergehen sollte. Ich war kein geborener Führer. Ich war ein geborener Mitläufer.

Ein geplanter Zufall half mir aus der Misere.

Wie gut, dass es schon damals den Großen Plan gab.

› Keine Regenwürmer

Und so kreuzten sich die Wege von »Orenda« Knoch und mir erneut. Eines Tages brachte er zwanzig Krieger zu uns, den jämmerlichen Rest seines ehemals stolzen Regiments. Adalbert Lesginka, der Ukrainer, der einst in der Garten-kolonie »Rote Bete« ein Doppelgrundstück gepachtet hatte, war auch dabei. Ich freute mich, dass dieser verrückte Hund überlebt hatte, konnte mir aber nicht erklären, warum er nach dem Vorfall im Reppener Wald bei Orenda geblieben war. Später sagte er mir, er sei damals in Hedda, Knochs Frau, verliebt gewesen und habe in ihrer Nähe bleiben wollen. Dieses Geständnis fand ich etwas an den Haaren herbeigezogen, denn solange ich Lesginka kannte, hatte er nie auf irgendwelche Weise gezeigt, dass er etwas für Frauen übrig gehabt hätte. Die Liebe aber ist ein seltsamer Regenbogen, wie man auf Niebo sagt.

Knoch und seine Leute waren mager wie entrahmte Milch, sie trugen Lumpen und hatten keine Munition mehr. Wie sie durch die Horden von Janitscharen hindurchgekommen waren, blieb ihr Geheimnis. Sie wurden nicht routinemäßig verhört und geprüft. Sie brauchten uns nichts über ihre Kampfhandlungen zu erzählen. Die Legenden eilten ihnen voraus. Wir wussten viel über sie, besonders über den genialen Taktiker Robert Knoch. Alle Neuankömmlinge wurden in unsere Truppe eingegliedert.

Für Knoch hatte ich ein interessanteres Schicksal vorbereitet. Als die technischen Angelegenheiten geklärt waren, befahl ich meinem Adjutanten, ein Treffen mit ihm zu arrangieren.

»Sie sind hier also der Boss«, sagte Knoch nach meiner kurzen Begrüßung. »Ich habe viel von Ihren Taten gehört. Alle Achtung, Herr Gepin! Sie alleine haben mehr unserer Feinde eliminiert als meine gesamte Einheit.«

»Herr Knoch, treiben Sie es bitte mit Ihren Schmeicheleien nicht zu weit. Ich habe gerade gegessen.«

Er entschuldigte sich dafür, dass er uns damals im Reppener Wald an die Polen ausgeliefert hatte. Als er versuchte, sein Beileid bezüglich Natalias und Freyjas Tod auszusprechen, unterbrach ich ihn und schlug vor, er möge gefälligst das Maul halten. Dann berichtete er über Hedda und seine beiden Kinder. Sie waren während der Kämpfe in der Zone von den Regulären erschossen worden. Doch das interessierte mich nicht besonders. Ich saß auf meinem Feldbett und starrte ihn abwesend an. Der Wind rauschte in den Kiefern und ich bemühte mich, nicht an meine heilige Mutter zu denken.

»Was nun, Herr Gepin? Wollen Sie jetzt Rache nehmen?«, hörte ich ihn sagen und musste schmunzeln. Der Mann war schwächer geworden.

»Genug Menschenleben wurden bereits verschwendet«, sagte ich. »Gute Krieger kann man immer brauchen und Sie sind einer der besten. Damals, als Sie mich internieren ließen, sagten Sie, dass ich Ihnen einmal dafür danken werde. Ja, Sie hatten Recht. Ich tue es. Ohne Sie wäre ich nie zu dem geworden, was ich heute bin.«

»Glauben Sie, dass ich froh bin, das zu hören? Man erzählt, Sie töten Ihre Feinde sogar im Schlaf.«

»Das ist wahr«, sagte ich. »Man hat uns gezwungen, in der Zeit der Bluthunde zu leben, da wurden wir selbst zu Bluthunden. Man sollte sich freuen, dass wir keine Regenwürmer geworden sind.«

»Warum ließen Sie mich rufen?«

»Herr Knoch, Sie sind sechsundsechzig, also kein Jüngling mehr. Gestern haben Sie Ihre letzte Blutkonserve und Ihre letzte Verjüngungsspritze bekommen. Bei Ihnen werden ab sofort keine Lebensverlängerungstricks durchgeführt, nur Vitamine sind erlaubt. Haben wir uns verstanden?«

»Aber ich bin krank, schwer krank. Das müssen Sie doch wissen!«

»Ja, unser Chefarzt hat mich informiert.«

»Dann wissen Sie auch, dass ich Medikamente brauche.«

»Machen Sie sich keine Sorgen, Ihre Putschis bekommen Sie, wie jeder, der sie braucht. Ich habe einen Auftrag für Sie, Herr Knoch.«

»Momentan nehme ich leider keine Aufträge an. Ich bin zu müde. Ich will mich zur Ruhe setzen.«

»Den werden Sie annehmen. Ich möchte Sie unsterblich machen. Und dazu brauche ich Ihre Hilfe.«

»Ich fürchte, ich kann Ihnen nicht ganz folgen.«

»Sie haben es geschafft, Herr Knoch, verstehen Sie? Sie haben überlebt und ich kenne niemanden, der größer und bekannter wäre als Sie. Im Untergrund sind Sie ein Topstar, und ich möchte, dass Sie verglühen. Mit großem Pomp.«

Ich zog ein Blatt Papier hervor und überreichte es Knoch mit den Worten: »Ich hoffe, Sie können nicht nur töten, sondern auch lesen.«

Seine Augen glitten über das Schreiben.

»Was hat das zu bedeuten?«, fragte er, als er mit dem Lesen fertig war.

»Nichts, außer dem, was da steht. Das ist mein letzter Befehl. Ich trete ab und übergebe die Macht an Sie, Herr Knoch. Ab jetzt haben Sie hier das Kommando. Freuen Sie sich nicht?«

»Warum tun Sie das?«

»Ich habe Ihnen bereits gesagt: Ich will zusehen, wie Sie unsterblich werden. Und dazu brauchen Sie eine möglichst gute Ausgangsposition. Als unser Geschäftsleiter können Sie viel Gutes bewirken. Die kommenden Generationen werden Ihnen dankbar dafür sein.«

»Sie wissen mehr, als Sie mir erzählen. Was führen Sie im Schilde?«

»Ich? Nichts, Herr Knoch, gar nichts. Sie glauben doch nicht an den Fliegenden Kalmücken, oder?«

»Seien Sie bitte nicht so sarkastisch. Es geht doch um mein Leben!«

»Nicht um Ihr Leben, sondern um Ihr Schicksal, Herr Knoch. Um die Erfüllung Ihrer Bestimmung. Haben Sie das vergessen?«

»Ich könnte es ablehnen.«

»Bitte sehr, versuchen Sie es.«

»Ich habe nichts zu verlieren.«

»Soso. Schon seit einer Ewigkeit kämpfen Sie im Untergrund. Wollen Sie wirklich jetzt, wo Sie vor dem Tor zur wahren Ewigkeit stehen, plötzlich den Schwanz einziehen?«

Das wollte er selbstverständlich nicht.

»Soll ich Ihr Testament schreiben oder machen Sie das selbst?«, fragte ich.

»Brauchen wir das wirklich?«

»Ich denke ja. Politische Testamente haben sich in der Vergangenheit als nützlich erwiesen.«

»Tun Sie, was Sie für nötig halten, Herr Gepin. Für so einen Blödsinn habe ich jetzt wirklich keine Zeit.«

»Herr Knoch, es ist schön, wenn zwei Menschen zu guter Letzt zueinanderfinden«, sagte ich und stand auf.

Beim Abschied reichte ich ihm nicht die Hand. Er sollte nicht denken, dass wir ab jetzt befreundet wären. Von einer geschäftlichen Partnerschaft zwischen uns war auch nicht die Rede. Wir waren nur zwei Erdlinge, die gemeinsam eine Sache zu Ende bringen mussten.

Mein Adjutant wunderte sich nicht, dass ich ihn den ganzen Abend lang Freyja nannte. Er war ein guter Junge.

> Gebt mir Nutella

Wie nicht anders zu erwarten war, erwies sich Knoch als begnadeter Befehlshaber. Obendrein war er charismatisch und galt als strenger, aber gerechter Chef. Unter seinem Kommando gedieh unsere Armee wie Queckengras in einem Brachgarten. Von Gefecht zu Gefecht erfreute er sich bei den Aufständischen immer größerer Beliebtheit. Schließlich, sieben Monate später, nach dem waghalsigen Angriff, der über den Ausgang der Schlacht um Lüneburg entschied, begannen die Krieger ihn zu vergöttern.

Die Idee, verkoppelte Laptops im Kampf einzusetzen, die Knochs taktischem Genius zugeschrieben wird, gilt mit Recht bis heute als eines der besten Täuschungsmanöver in der Geschichte des Zweiten Krieges um die Luft. Dass dieser Einfall aus objektiven Gründen nicht von ihm stammen konnte, ist nebensächlich. Zu dieser Zeit war er sozusagen nicht ganz auf dem Laufenden. Er hatte sich in sein Quartier zurückgezogen und zeigte sich immer seltener in der Öffentlichkeit. Ich war sein Kontaktmann zur Außenwelt. Ich überbrachte seinen Befehl, ein Netzwerk aus zwölf tragbaren Computern aufzubauen und darauf ein altes Kampfspiel zu installieren, das von den Kriegern online gespielt wurde. In der Nacht wurden die Bilder, die auf den Bildschirmen auftauchten, mit Hilfe eines umgebauten Quadronprojektors direkt auf den Himmel geworfen, wie auf eine Leinwand im Kino. Zusätzlich ließ ich in Knochs Namen die Geräuschkulisse des Spiels über Verstärker und Lautsprecher laufen. Der Himmel über Lüneburg krachte, brannte und blutete. Die Janitscharen gerieten in Panik und ergaben sich. Um Verpflegungskosten zu sparen, wurden sie alle ohne viel Federlesen sofort entsorgt.

Lüneburg war die erste Stadt in Mitteleuropa, die im Zweiten Krieg um die Luft von Aufständischen befreit wurde. Drei Tage dauerte die Siegesfeier. Nur eine Kleinigkeit trübte die Stimmung: Ich verkündete, Robert »Orenda« Knoch sei krank. Alle dachten an eine Grippe und wünschten ihm schnelle Genesung. Es war aber keine Grippe und auch eine langsame Genesung war nicht in Sicht.

Robert Knoch, der untersetzte Mann mit der Glatze, war ein Zauberer, dem es gelungen war, unseren Kampf auf eine höhere Stufe zu bringen: Endlich stand auch das Volk auf unserer Seite, zumindest das Volk von Lüneburg. Daraus konnten wir neue Hoffnung schöpfen. Doch es war nicht damit zu rechnen, dass die Menschen in anderen Städten uns folgen würden, denn sie waren zu müde und zu sehr mit sich selbst beschäftigt, um noch an so etwas Abstraktes wie Freiheit zu denken. Alle handelten nach dem Motto: Gebt mir Nutella, dann gebe ich dir meine Bürgerrechte. Dank Knochs Reden, die unser Sender regelmäßig ausstrahlte und die auch im Internet zu sehen und zu lesen waren, konnten alle Deutschsprachigen erfahren, wie weit die Versklavung der Menschen durch die Weltregierung bereits fortgeschritten war. Ob diese Reden tatsächlich dazu beigetragen haben, dass Ansätze eines Gesinnungswandels auch breite Bevölkerungsschichten erreichten, war uns damals und ist mir auch heute unbekannt. Auf Gottes Homepage spielen Gefühle und Vermutungen eine untergeordnete Rolle, man erwähnt sie nur selten.

Doch unbestritten bleibt, dass es genau in dieser Zeit für die regierungstreuen Truppen immer schwieriger wurde, das

Volk im Zaum zu halten. Es häuften sich spontane Überfälle auf die Janitscharen. Schließlich, nach dem Münchener Massaker, bei dem an einem Nachmittag auf der Wiese fünfzehntausend Menschen von den Janits regelrecht abgeschlachtet wurden, hatte sich die Situation derart zugespitzt, dass die UNO sich gezwungen sah, durch eine Resolution alle Menschenrechte in Europa für unbestimmte Zeit auszusetzen. So wurde jeder Europäer zum Freiwild. Und das Oktoberfest zum Blutfest.

Das war ein gefundenes Fressen für uns, in gewisser Weise aber auch ein gefundenes Fressen für die Niebieskis. Die Landeplätze waren vorbereitet und ihre Maschinen im Anflug.

❯ Wie ein wahrer Krieger

Dann war es so weit. Eine Legende musste her, aber alle sollen hier erfahren, was sich damals wirklich abgespielt hat.

Robert »Orenda« Knoch ist nicht, wie behauptet wurde, am 5. Mai im Zehnten Violett in der Lüneburger Heide gefallen. Die Beschreibung seines letzten Kampfes am Tannenhügel, die beinahe auf jeder Homepage über die Kriege um die Luft zu finden ist, wurde von einer Frau namens Dorothea Hill verfasst, und zwar erst dreißig Jahre nach dem Tod unseres Helden. Sie hat sich die ganze Geschichte einfach aus den Fingern gesogen.

Tatsächlich starb Robert »Orenda« Knoch am 6. Dezember im Neunten Violett, also sechs Monate früher, und wurde so lange in einer Tiefkühltruhe aufbewahrt, bis man sich entschloss, seine Leiche für einen guten Zweck zu verwenden. Sie wurde in die Lüneburger Heide gebracht und auf dem besagten Tannenhügel mit einer Bombe in der Hand platziert. Die Bombe und seine Hand wurden zuvor mit Sekundenklebstoff traktiert.

Zwei Krieger blieben bei Knoch. Nicht ganz freiwillig. Man musste ihnen die Beine brechen, damit sie nicht fliehen konnten. Es sollte auch erwähnt werden, dass man auf dem Tannenhügel reichlich Waffen, Munition und Verpflegung hinterlassen hatte, für den Fall, dass sich die zwei Krieger doch entschließen würden, eines ruhmreichen Todes zu sterben. Dann wurden die Janits per Handy informiert, wo sich Robert Knoch und zwei andere Aufständische aufhielten. Eine halbe Stunde später war das Sonderkommando »Adler« zur Stelle. Ohne Hubschrauber und ohne Raketenwerfer, liebe Frau Hill! Sie kamen, die Gewehre in der Hand, auf leisen Sohlen.

Die zwei Krieger versuchten, die anrückenden Soldaten davon zu überzeugen, dass sie nicht schießen sollten. Sperrfeuer war die Antwort. So war es geplant. Die Soldaten ballerten so lange herum, bis eine Kugel zufällig die Bombe traf, die Robert Knoch in der Hand hielt. Es war eine kleine Ypsilon-Bombe mit großer Wirkung. Der Rest ist hinreichend bekannt: Ein kleiner Hautfetzen genügte, um eine molekulartechnische Analyse der DNA durchzuführen und Robert Knoch als Robert Knoch zu identifizieren. Die beiden anderen Aufständischen blieben namenlos. In der Datenbank der genetischen Profile fand man keine DNA-Fingerabdrücke von ihnen. Daraus schloss man zu Recht, dass sie nicht aus der ehemaligen Europäischen Union stammten. Sie waren weiße Abessinier, die gleich nach dem Ersten Krieg um die Luft nach Europa gekommen waren, um neue Absatzmärkte zu erschließen. Sie waren im Tauschhandel aktiv und hatten sich auf das Organisieren und Recycling von kultischen Gegenständen spezialisiert. Ich kannte ihre Namen. Doch ich hatte sie schnell vergessen. Das gehörte zu meinen Pflichten, denn es handelte sich um zwei Spitzel, und Spitzel hatten grundsätzlich namenlos zu bleiben, bis in alle Ewigkeit.

Dort, wo Robert Knoch angeblich starb, am Tannenberg in der Lüneburger Heide, steht heute ein sechsdimensionales Denkmal. Doch der wahre Ort seines Todes und die Kühltruhe, in der seine Leiche aufbewahrt worden war, wurden von einem K-Staubsauger aufgesaugt und in einem anderen Multiversum wieder ausgespuckt. Anscheinend haben die Niebieskis etwas gegen Reliquien. Das kann man ihnen aber nicht übelnehmen. Knoch verschaffte ihnen immerhin zwei Landeplätze in Norddeutschland, dafür setzten sie ihm ein Denkmal. Man weiß allerdings nicht so genau, wer dabei besser wegkam.

Noch eines möchte ich richtig stellen: Als Robert »Orenda« Knoch wirklich starb, also sechs Monate früher, als man vorgab, wusste er nicht, dass er Robert Knoch hieß und dass er ein großer Krieger und Taktiker war. Er wusste nicht einmal, dass er ein Mensch war. Er wusste schlicht und einfach gar nichts. Er litt unter der Alzheimerschen Erkrankung. Durch Schwund der Hirnrinde führte sie damals zum Schwachsinn. Jetzt genügen zwei Pillen, die in jeder Drogerie erhältlich sind, und man ist aus dem Schneider.

Knoch starb eines gewaltsamen Todes. Wie ein wahrer Krieger. Er bekam den Gnadenschuss von einem seiner engsten Kameraden, von Adalbert Lesginka, so wie er es sich in seinem Testament gewünscht hatte.

Wir alle hofften damals im Falle einer unheilbaren Krankheit oder einer schweren Verletzung auf den Gnadenschuss. Meistens gingen unsere Wünsche in Erfüllung. Die Zeiten waren hart. Und wir alle glaubten an die Reinkarnation. Wie töricht von uns! Mit dem Auftauchen von Klonen wurde die Reinkarnation auf der Erde außer Kraft gesetzt. Auf vielen anderen Planeten unseres Multiversums funktioniert sie immer noch einwandfrei. Es scheint mir, dass die Himmelblauen uns nicht so sehr lieben, wie sie manchmal behaupten. Die Abschaffung der Reinkarnation betrachte ich als persönliche Beleidigung. Ewiges Leben habe ich mir anders vorgestellt als das Gefangensein im immer gleichen, geklonten Körper. Nur die Seele ist für mich ewig, und sie muss so lange durch verschiedene Körper und Galaxien wandern, bis sie zu guter Letzt mit dem Multiversum verschmilzt. So stelle ich mir das vor.

Doch wozu das alles gut sein sollte, habe ich bis heute nicht herausgefunden. Ich glaube, weil ich glauben will. Mein Glaube hat mit dem wirklichen Ablauf der Dinge nichts zu tun, und sich selbst erfolgreich zu belügen gehört noch immer zu den Grundrechten des Menschen. In diesem Sinne dürfen Geklonte nicht glauben. Sie kennen nur die Rechte eines Geklonten. Wenn sie sich schlecht fühlen oder wenn sie Zweifel hegen oder wenn jemand, der ihnen nahestand, gestorben ist, haben sie das Recht auf ein Update, auf einen kostenlosen Patch. Falls sie trotz dieser Maßnahme weiter verrücktspielen, sind sie verpflichtet, sich eine neue Software einspielen zu lassen.

Endlich bin ich mit Robert »Orenda« Knoch fertig. Ich wünschte mir, ich hätte ihn nie gekannt. Ich wünschte mir, ich wäre Lesginka, der ihn auf meinen Befehl töten musste, nie begegnet. Ich wünschte mir, die zwei Kriege um die Luft wären nie passiert. Ich wünschte mir, die Himmelblauen wären nie gelandet. Ich wünschte mir, diese Erinnerungen nie aufgeschrieben zu haben. Ich wünschte mir, mich nie wieder zum Lügen gezwungen zu sehen.

Ich wünschte mir, in einem Sauerampferbeet zu liegen, einen strahlenden Himmel zu beobachten und den Duft der Pflanzen und der feuchten Erde richtig in der Nase zu spüren.

› Keine Rümpfe, keine Schnäbel

September geht Freyja allmählich auf die Nerven. Sie findet ihn unmöglich. Er hat keine Beine mehr. Wie bewegt er sich also? Ganz einfach, er schreitet, als hätte er Beine. Nur sind diese eben unsichtbar. Freyja meint, sein Oberkörper schwebe bedrohlich in der Luft wie eine Drohne und sein Arsch mache bei jeder Bewegung komische Geräusche. Ich sehe in ihm mehr eine teorianische Statue, die ihrer Stützen beraubt wurde. Die komischen Geräusche höre ich nicht.

Im Grunde gibt es eine plausible Erklärung für Septembers Verwandlung: Ihm fehlen die Pixel, Punkte, die sein Bild im Auge des Betrachters hervorrufen. Eine drollige Situation, doch keine ungewöhnliche in unserer Welt.

September merkt das nicht. Ihm ist nicht bewusst, dass es an ihm Körperteile gibt, die sich davongemacht haben. Für so etwas ist er blind. Wenn Teile eines Menschen verschwinden, passiert es nicht selten, dass er sich wehrt und Alarm schlägt. Geschieht dasselbe mit Klonen, verhalten sie sich, als würden sie es nicht wahrnehmen. Sie machen einfach weiter. Geklonte verfügen über kein sonderlich ausgebildetes Körperbewusstsein. Es schmerzt mich, September in einem solchen Zustand zu sehen, obwohl ich weiß, dass er überhaupt nicht leidet. Er kann nicht leiden, Leiden wurde in sein Gefühlsleben nicht einprogrammiert. Das Leiden hat man aus seinen Genen herausgepickt wie Rosinen aus einem Gugelhupf. Klone haben kein Recht auf Vollständigkeit oder Ähnlichkeit mit ihren Vorgängern. Deswegen dürfen Gentechniker, wenn sie sich schöpferisch betätigen wollen, nach Lust und Laune handeln und zum Beispiel aus einem schwarzhäutigen Rothaarigen einen Gelbhaarigen mit grüner Haut herstellen. Nur Blau ist eine Farbe, die man ohne Sondergenehmigung nicht reproduzieren darf.

Ob September mir noch in diesem Leben die versprochenen Zigaretten vorbeibringt, ist fraglich. Ich sehe dafür eher schwarz.

Ich sprach mit Dr. Multer und fragte ihn, ob es üblich sei, dass die Angestellten in einer Erzählerstätte derart fehlerhaft seien.

Er lachte und antwortete, dass vermutlich unser Bildpunktegenerator erschöpft sei. Nächste Woche wolle er jemanden vorbeischicken, um die Störung zu beheben. Das sei aber noch nicht hundertprozentig sicher, weil man in der letzten Woche die Zuschüsse für Schreibende stark gekürzt habe. Wenn es für mich nicht zu umständlich sei, sollte ich doch versuchen, ein wenig Blausaft zu besorgen, und den Generator selbst nachfüllen. Fände ich ihn nicht im Geräteschuppen, dann müsse ich ins Kosmonet gehen und die Baupläne für unser Haus besorgen, der Generator müsse irgendwo zu finden sein.

Leichter gesagt, als getan, mein lieber Dr. Multer. Hier, in unserer steinigen Wüstenei, gibt es keine Drogerie, bei der man anklopfen und einen Kanister Blausaft bestellen könnte. Hier gibt es gar nichts, außer stückweise verschwindender Ziegen, Dienstboten mit amputierten Beinen und Berge, die täglich flacher werden. Alles hier ist pixelleer wie eine Menschenseele!

Ohne ein Wort zu sagen, unterbrach ich die Verbindung. Ich hatte keine Lust, auch noch seine Fragen nach meinem Buch beantworten zu müssen.

Freyja erschrak am Nachmittag, als sie Schwalben erblickte, die aufgetaucht waren, um den kommenden Regen anzukündigen. Daran, dass die Schwalben in unserer Welt generierter Herkunft waren, hatte sie sich noch gewöhnen können. Doch diesmal hatten die Vögel, wie soll ich sagen, keine Rümpfe und keine Schnäbel mehr. Man sah nur gegabelte Schwänze und lange, schwarze Flügel, die paarweise durch die Luft glitten, immer tiefer sinkend, bis sie in ihren unter dem Dach angeklebten Nestern verschwanden.

Als kurz danach heftiger Regen einsetzte, sagte Freyja: »Unsere Welt geht den Bach runter.«

Ihre Ausdrucksweise erfüllt mich manchmal mit Angst.

Der Regen war kaum sichtbar, nur vereinzelte Tropfen fielen auf den Boden. Doch sie richteten viel Schaden an, so, als hätte es wie aus Kübeln gegossen. Dabei wurde sogar das Glashaus teilweise zerstört und die Zitronenbäume verloren ihre kleinen grünen Früchte, die sich während unseres Aufenthalts am Byrtevatnet gebildet hatten. Wie schade! Grüne Zitronen finde ich schön. Freyja mag sie, wenn sie gelb sind. Das ist die Macht der Gewohnheit.

Der unsichtbare Regen löschte direkt vor unseren Augen die Ziegenherde aus. Freyja sah das, doch sie weinte nicht. Ich drückte ihre Hand.

»Du brauchst es nicht zu tun«, sagte sie und presste ihre Lippen zusammen. »Ich brauche keinen Trost. Alles hier ist nur gefälscht. Ich weiß das.«

Sie summte ein Lied, das Kinn auf die Knie gestützt und die Arme um ihre Schienbeine geschlungen.

Es war zum Heulen. Ich musste etwas unternehmen. Ich holte das Telefon und rief Dr. Multer an. Er konnte meinen Anruf nicht entgegennehmen, weil er nicht zu Hause war, also hinterließ ich ihm eine Nachricht: »Wir wollen weg von hier! Am besten gestern! Holen Sie uns bitte raus! Um uns herum verschwindet alles!«

Erst als ich auflegte, wurde mir bewusst, dass ich gerade Polnisch gesprochen hatte. Doch ich schämte mich, noch einmal Dr. Multer anzurufen und alles auf Anglos zu wiederholen. Er sollte nicht wissen, wie verzweifelt ich war.

Ich ging zu Freyja und umarmte sie. Sie sang nicht mehr. Sie lag auf dem Boden und ihr Herz pochte laut. Ich versuchte sie aufzuheben, um sie ins Bett zu tragen, aber ich schaffte es nicht. Ich war zu schwach. Ich legte mich neben sie und streichelte ihren Kopf, bis sie sich beruhigte.

Am Abend wollten wir ins Kosmonet, um auf Gottes Homepage vielleicht eine Antwort auf unsere Fragen zu finden. Aber es kam keine Verbindung zustande. Die Leitung war mausetot.

Wir setzten uns in die Küche und starrten bei offenem Fenster ins Leere. Kein einziger Stern leuchtete am Himmel. Die Dunkelheit wirkte wie ein Gemälde. Ein sachter Wind kam zu uns und brachte den Ruf eines Kuckucks mit.

»Meinst du, dass man diesen Sturm in Kiew registriert hat?«, sagte ich.

»Warum gerade in Kiew?«

»Mich würde interessieren, ob mein Wetterchip immer noch funktionsfähig ist. Wenn ja, dann haben möglicherweise die Nachfolger von Professor Durda die Impulse aufgezeichnet.«

»Du trägst einen Wetterchip? Davon hast du mir nie etwas erzählt.«

»Oh doch! Du kannst ihn fühlen. Hier, in der Halsschlagader.«

»Ich glaube, da ist nichts. Jedenfalls spüre ich nichts.«

»Vielleicht ist er weg. Doch wann ich ihn verloren habe, weiß ich nicht mehr. Ich war einmal Wetterprophet.«

»Wirklich? Wann war das?«

»In der Zeit, als du zum ersten Mal bei mir warst.«

»Es ist also lange her. Habe ich dich damals geliebt?«

»Ja, sehr.«

»Mehr als heute?«

»Nein. Genauso sehr. Doch irgendwie anders.«

»Und du? Hast du mich geliebt?«

»Ja, mehr als jeden Menschen.«

»Auch damals, als ich tot war?«

»Ja, besonders damals.«

»Erzähl mir mehr über uns. Erzähl mir alles, was ich nicht weiß.«

»Du warst nie tot. Du warst immer bei mir. Wir gehen jetzt schlafen. Also Zähneputzen und ab ins Bett.«

»Und der Wind? Er ist so sanft. Lassen wir ihn allein hier?«

»Ich mache das Fenster zu.«

»Dann wird er gefangen genommen. Hast du keine Angst, dass er böse auf uns wird?«

»Er tut uns nichts. Er mag uns.«

»Mach ruhig das Fenster zu.«

Bis zum grauen Morgen priesen wir September und die Stunde, in der Zahnpasta mit Beilage erfunden wurde.

> ## Mein Körper ist ein Kosmos

Man nimmt allgemein an, dass die alten Echten nicht mehr an Versäumtes denken, sondern sich mit dem beschäftigen, was der Tag bringt. Das entspricht nicht ganz der Wahrheit. Ich bin alt und ich denke oft an früher und bedaure, dass manches in meinem Leben nicht so gelaufen ist, wie ich es mir gewünscht habe.

Es gab Zeiten, da wollten wir ein Kind. Doch wir konnten und durften uns nicht vermehren. Als Freyja in den besten Jahren war, um ein Kind zu bekommen, wurde sie infolge der medizinischen Experimente, die man damals mit Frauen in Wohlstandsstaaten anstellte, unfruchtbar. Es ging um das Kyoto-Weltgeburtenabkommen, das heimlich von zehn Industriestaaten beschlossen wurde.

In der damals sogenannten Dritten Welt regulierte man die Geburtenrate durch Nahrungsentzug, Kriege, planmäßige Naturkatastrophen und vor allem durch die Verbreitung von Seuchen, wobei nicht Aids, wie viele meinen, sondern die

Quattro-Influenza die gelungenste und effektivste künstlich hergestellte Form von allen war. Mit Frauen aus reichen Ländern ging man dagegen geschickter und in gewisser Hinsicht eleganter um: Man redete ihnen ein, sie müssten Antidepressiva und die Antibabypille schlucken sowie bestrahlte Nahrung essen. Was mich bis heute besonders beeindruckt, ist die Tatsache, dass es dem Methusalem-Ring damals gelungen ist, den Frauen dafür noch Geld abzuknöpfen. Die Menschen haben wie die Ochsen geackert, um sich ihre langsame Hinrichtung tatsächlich leisten zu können. Und sie haben es gerne getan. Sie bezahlten ihr Gift selbst und sie holten es sich aus Apotheken oder Supermärkten. Der Mensch ist wirklich schon immer ein albernes, zweibeiniges, ungefiedertes Geschöpf gewesen, das freiwillig volle Tüten und Kisten bis nach oben schleppt.

Heute müssen die Niebieskis für jede Hinrichtung, egal welcher Art, aufkommen. Kein Mensch und kein Geklonter muss für den eigenen Tod bezahlen. In puncto Geld hat sich also mit der Landung wirklich etwas getan. Wir haben sozusagen fortwährend Urlaub und können umsonst essen und trinken. »All inclusive« zu leben ist zwar bequem, doch manchmal geht es einem ziemlich auf den Keks. Besonders wenn man noch seinen eigenen Keks hat. Kostenloses Sterben halte ich dagegen für die größte Errungenschaft des Multiversums.

Im Alter von dreizehn Jahren war Freyja von einer Frauenärztin als U-Person eingestuft und ohne ihr Wissen auf die entsprechende Liste gesetzt worden. Die Mädchen und Frauen von der U-Liste dienten als Rohstofflieferanten und später, nach der Ausbeutung, als Organspender. Selbstverständlich nicht offiziell und auch nicht freiwillig. Wie vielen anderen Frauen hatte man auch Freyja eingeredet, sie leide an einer seltenen Erbkrankheit, die nur dann heilbar sei, wenn Freya sich entschließe, ihre Eizellen der Forschung zur Verfügung zu stellen. Da Freyja gesunde Kinder gebären wollte, sagte sie zu. Und so lieferte sie jahrzehntelang pünktlich und völlig kostenlos ihre weiblichen Fortpflanzungszellen ab.

Wir waren bereits drei Jahre zusammen, als wir den Entschluss fassten, eine richtige Familie, wie man das damals nannte, zu werden. Doch es gab Schwierigkeiten. Es gelang uns nicht auf Anhieb, ein Kind zu zeugen, und es wollte auch später nicht klappen. Viele Jahre bemühten wir uns vergeblich. Ärzte, große Spezialisten, zuckten ratlos die Achseln und der einzige Rat, den sie für uns übrig hatten, war: Nur Mut, weitermachen, nicht aufgeben, es wird schon werden und so weiter. Lügner! Gemeine Schweinehunde! Sie wussten doch, was mit Freyja und mir los war!

Eines Tages besuchte ich Gottes Homepage und stieß zufällig auf eine Unterseite mit Informationen über U-Personen. Bis zu diesem Augenblick hatte ich keinen blassen Schimmer, dass es eine solche Bezeichnung überhaupt gab. Ich war entsetzt, als ich Freyjas Namen unter den Zigtausenden Frauen entdeckte, denen es per Repro-Gesetz untersagt war, in der Europäischen Union Kinder zu bekommen. Sie durfte Eizellen produzieren, doch Kinder gebären durfte sie nicht. Da Freya von Eltern verschiedener Rassen abstammte, wurde sie von der Genforschung als Mischling, als U-Boot angesehen. Ihre Gene waren zu wertvoll, als dass man ihr hätte erlauben können, verschwenderisch damit umzugehen und auf herkömmliche Art Kinder in die Welt zu setzen. Die Freyja entnommenen Eizellen befruchtete man nicht durch In-vitro-Fertilisation, also im Reagenzglas, mit männlichen Samen. In Freyjas Fall ging es nicht um künstliche Befruchtung, was ich ausdrücklich betonen möchte, sondern um viel, viel mehr: um die Erforschung der synthetischen Eigenbefruchtung, um eine Vorstufe der Herstellung genetisch identischer Lebewesen. Da man sich damals bemühte, einen genetisch wertvollen Supereuropäer zusammenzustellen, wollte man nichts dem Zufall überlassen. Genspezialisten wurden von der EU-Ursprungskommission beauftragt, an der Entwicklung der Eizelle ohne vorhergegangene Befruchtung zu arbeiten. Und das taten sie, fieberhaft. Kein Wunder, dass sie nervös waren: In China waren die Arbeiten an der Jungfernzeugung so weit fortgeschritten, dass man kurz davor stand, einen Menschen klonen zu können. Keiner ahnte jedoch, dass es bereits geklonte Menschen auf der Erde gab. Und es stimmt einfach nicht, dass sie nicht von Menschen gemacht worden waren, wie immer behauptet wird. Denen, die versuchen uns weiszumachen, nur Götter seien in der Lage, aus einem alten Menschen einen neuen zu backen, sage ich: Das ist Schwachsinn! Klonen ist nicht göttlich, sondern menschlich. Genauso menschlich wie Kartoffelschälen, andere Planeten erobern oder spucken. Die wahren Götter müssen die Welten nicht künstlich erzeugen, sie gebären sie einfach. Zum Beispiel durch die Kraft ihrer Gedanken. Oder während sie schlafen.

Als ich damals mit dem Lesen fertig war, schwor ich mir, nie wieder bei Gottes Homepage vorbeizuschauen. Und ich hielt mein Wort, bis mein Vater mich im Reppener Wald ermahnte und an meine Pflicht erinnerte.

Mein Fall lag ähnlich: Ich wurde schon als Jugendlicher mit einem Reproverbot belegt, denn Kalmücken, ein vom Aussterben bedrohtes Volk, waren in Westeuropa unerwünscht. Man stellte fest, dass ich, genetisch gesehen, eine äußerst komplizierte Person war. Ich hatte so viele verschiedene Gene, dass man mich nur als »vollständig verseucht« bezeichnen konnte. Bei mir gab es sozusagen zu viel des Guten. Während Freyja ein braves, erwünschtes Mischblut war, war ich das Schreckgespenst aller Genforscher. Ich durfte in Germania und später in der EU nur unter einer Bedingung bleiben: kein Sex und keine Kinder mit Alteingesessenen.

Kontrollieren konnten sie aber nur die Sache mit dem Kinderzeugen. Ich sollte der Letzte meiner Art sein. Heute erfreuen sich Kalmücken recht großer Beliebtheit, weil sie besser als andere Völker für interplanetarische Flüge geeignet sind. Doch damals war ein Kalmücke nicht einmal das Schwarze unter seinen abgekauten Nägeln wert.

Dann, während des Zweiten Krieges um die Luft, hat man mich wie schon erwähnt in einem Internierungslager endgültig zeugungsunfähig gemacht. Die Sterilisation erfolgte nach einer kurzen Untersuchung. Ups à la schaute mir in den Mund, befahl mir, zwei Mal zu husten, und als er sich gleich danach über seine Papiere gebeugt hatte, wusste ich, dass die Sache für mich gelaufen war. Man band mich fest, und der Samenleiter wurde aus meinem Hodensack herausgerissen. Auch meiner Samenblase machte man den Garaus, was eigentlich völlig überflüssig war. Doch die behördlichen Anweisungen verlangten, dass bei allen nicht reproduktionserwünschten männlichen Personen der Ausführungsgang und die Samenblase entfernt wurden. Es tat weh. Bei Operationen an Kriegern durften die Ärzte keine schmerzstillenden Mittel benutzen.

Das ganze Ausmaß meiner Tragödie erkannte ich viel, viel später, als Freyjas und mein Antrag auf Klonen abgelehnt wurde. Wir werden wohl die Erde ohne Nachkommen verlassen müssen. Es ist bitter und ungerecht.

Um objektiv zu bleiben, muss erwähnt werden, dass meine Sterilisation, wie alles in der Welt, auch eine gute Seite hat, und zwar die, dass ich mich dank der eigenen Spermien, die nach wie vor von meinem Körper produziert werden und in meine Blutbahn gelangen, sozusagen selbst erneuern kann. Ich wurde quasi zu einem Kronos. Mein Körper ist ein Kosmos, der eigene ungeborene Kinder verzehrt und sich dadurch ständig auf Trab hält. Kurzum, infolge des chirurgischen Angriffs von damals wurde bei mir der Alterungsprozess auf wundersame Weise verlangsamt. Ob der schwedische Arzt und seine miesen Befehlsgeber diese Nebenwirkung vorausgesehen haben, möchte ich jedoch bezweifeln.

Da ich ohnehin schon über Fortpflanzung berichte, will ich auch ein bis vor kurzem noch streng gehütetes Geheimnis lüften: Die Niebieskis vermehren sich nicht durch Jungfernzeugung, wie man allgemein annimmt, sondern durch Teilen. Niebieskis sind mit den irdischen Amöben eng verwandt. Lange hielt man im Multiversum die Parthenogenese für die einzig wahrscheinliche Methode der Entstehung eines blauen Gottes. Jetzt, dank der Entschlüsselung der geheimen Kosmonetseiten, weiß ich, dass ein Gott sich nur dann Gott nennen darf, wenn er durch Teilung erzeugt worden ist.

Nur Teilen ist göttlich. Wechseltierchen aus der Entflohenen Galaxis, diese kleinen Wurzelfüßler, die Niebieskis so verehren und die kein Mensch oder Geklonter je zu sehen bekommen hat, sind also das wahre Gesicht Gottes.

Wenn ein Niebieski sich teilt, kann niemand sagen, wo die ursprüngliche Hälfte geblieben ist. Deshalb sind Niebieskis auch unsterblich. Sie haben keinen Anfang und kein Ende. Den Tod gibt es nur für Organismen, die sich sexuell reproduzieren.

In dem Moment, als die Rote Frau, unsere Urgroßmutter, sich entschloss, den Ersten Gott um einen Partner zu bitten, weil sie sich im Garten langweilte, unterschrieb sie ihr eigenes Todesurteil und auch das für alle ihre Nachkommen, für uns Menschen. Das gilt jedoch nicht für Geklonte. Sie, die das Ebenbild der Niebieskis darstellen sollen, sind auf gewisse Weise auch unsterblich.

Doch auf eine solche Unsterblichkeit kann ich gerne verzichten.

Lieber tot als ein Leben als Amöbe!

Die Himmelblauen kennen keine genitale Sexualität, besitzen jedoch ein stark ausgeprägtes linguistisches Bewusstsein, was sie von den Engeln, den Boten des Falschen Gottes, an den die Menschen früher glaubten, unterscheidet. Die Blauen können nämlich sprechen, Engel dagegen nicht. Das bedeutet aber nicht, dass die Blauen die Erdlinge wirklich verstehen. Und umgekehrt.

❯ Leere Koordinationsfelder

Kurz vor Mittag rief mich Dr. Multer zurück. Er benahm sich merkwürdig zurückhaltend. Als ich ihn fragte, für wann unser Umzug geplant sei, antwortete er, dass ich mich beruhigen solle, es werde keinen Umzug geben, wir könnten keine neue Erzählerwohnung bekommen, weil alle derzeit besetzt seien. Ich regte mich auf und schrie, dass wir dringend einen neuen Platz bräuchten, weil unser Haus zu verschwinden drohe. Daraufhin stieß Dr. Multer einen Seufzer aus und schwieg lange. Gut, sagte er schließlich leise, er könne uns auf die Liste setzen, die erste freie Wohnung würde dann uns gehören. Nach kurzem Zögern erklärte ich mich damit einverstanden.

Dann wollte Dr. Multer wissen, wie ich mit meinem Buch vorankäme. Ich erzählte ihm von meiner Arbeit und er zeigte sich zufrieden. Ob er bald etwas von mir zu lesen bekäme, wollte er erfahren, er benötige ein paar Abschnitte meines Schriftwerkes für seine Unterlagen. Am Monatsende müsse er einen Bericht abliefern, die Kulturbehörde habe ihn schon zwei Mal dazu aufgefordert, doch bis jetzt habe er nichts von mir bekommen. Das sei nicht mein Problem, wehrte ich mich ein wenig schroff, ich sei nicht in der Lage, kontinuierlich, linear und nach einem vorgegebenen

Muster zu schreiben. Ich sei kein ausgebildeter Schriftsteller, das habe er doch gewusst, noch bevor ich mit dem Buch angefangen hätte. Zudem müsse ich auf Deutsch schreiben, was keine leichte Aufgabe sei. Er solle sich gedulden, er bekomme meine Memoiren erst dann, wenn ich sie für abgeschlossen halte, keine Minute früher.

Dr. Multer riet mir, die Sache noch einmal zu überdenken, er werde mich bald kontaktieren und erwarte dann meine Entscheidung. Als er sich verabschieden wollte, fragte ich ihn, wie es mit meiner vierten Runderneuerung stünde, sie sei schon seit zwei Wochen fällig. Hier geriet er ins Stocken. Er wisse nichts Genaueres, behauptete er, er verstehe nicht, warum die Klinik sich bei mir noch nicht gemeldet habe, er jedenfalls habe dort mehrfach angerufen, doch niemand sei erreichbar gewesen. Was denn das Gerede jetzt solle, fuhr ich ihn an und wollte sofort die ganze Wahrheit hören. Dr. Multer zögerte, dann sagte er, er vermute, es habe etwas mit Freyja zu tun. Mehr könne er mir aber im Moment nicht mitteilen. Gleich danach sagte er noch etwas, was mich stutzig machte. Er sagte nämlich wörtlich: »Die Bäume haben schon längst ihre Blätter verloren.«

Mir war, als befände ich mich plötzlich auf überwachsenen Pfaden und würde einen längst verlassenen Garten betreten. Ich war mir nicht sicher, ob Dr. Multer bewusst war, was er da eben gesagt hatte. Hatte er vielleicht nur aus Spaß eine Gedichtzeile zitiert? War es Jux oder Ernst?

Um ihm mehr zu entlocken, erwiderte ich: »Dann müssen also die Vögel schon im Süden verweilen.«

Einen Augenblick lang herrschte Stille, bis Dr. Multer einen kaum hörbaren Seufzer der Erleichterung ausstieß.

»Im Frühling kommen sie bestimmt zurück«, sagte er und legte auf.

Also doch, er kannte sie, er kannte die alte Losung aus dem Untergrund, aus der Zeit, als ich einen Garten in der Kolonie »Rote Bete« gepachtet hatte und das Land der Niederen Sachsen noch existierte. Und er hatte sie absichtlich benutzt, um mir zu verstehen zu geben, dass unser Gespräch abgehört wurde. Doch was wollte er damit erreichen? Jedes Telefongespräch wird mitgeschnitten, das weiß sogar ein einfacher Geklonter, der auf der dunklen Seite des Mondes sein Einsiedlerdasein fristet. Die Himmelblauen sind darauf versessen, alles mitzuschneiden, was zum Mitschneiden geeignet ist. Alles Gesprochene wird auf Gottes Homepage veröffentlicht, auf den Seiten für Analphabeten, Blinde und Faulenzer, die keine Lust zum Lesen haben. Gottes Homepage ist die größte Sondermülldeponie für gesprochene Worte im Multiversum.

Nun gut, dachte ich mir, Dr. Multer will mir etwas Wichtiges mitteilen und ich brauche dafür eine sichere Leitung. Wo aber soll ich die hernehmen? Es ist wahrscheinlich leichter, einen neuen Planeten zu entdecken und zu kolonisieren oder sogar einen zu erschaffen, als auf der Erde eine nicht angezapfte Telefonleitung zu finden. Ist Multer noch bei Sinnen? Er wird ab heute jeden zweiten Tag drei Minuten nach Sonnenaufgang auf meinen Anruf warten. Dann sollte ich es nur einmal klingeln lassen und auflegen. Und dann ... ja, was passiert dann? Ich habe vergessen, was danach zu tun ist. Ich habe es einfach vergessen.

Und noch etwas: Es ist nicht ausgeschlossen, dass Dr. Multer Polnisch versteht. In diesem Fall hätten wir aber den Gipfel der Unwahrscheinlichkeit erreicht. Wollen wir das wirklich?

An diesem Tag schrieb ich nicht. Ich ging umher wie ein ferngesteuertes Spielzeug und grübelte.

Nach dem Mittagessen wollte Freyja spazieren gehen. Weit kamen wir aber nicht. Nach knapp einem Kilometer stießen wir auf einen Spuki, auf ein leeres Koordinationsfeld. Da wir Angst hatten hineinzugeraten, entschlossen wir uns, es weiträumig zu umgehen. Leere Koordinationsfelder sind sehr gefährlich, sie sind in der Lage, sogar einen geklonten Dinosaurier, der weit entfernt von ihnen friedlich grast, einzusaugen. Spukis ähneln den Schwarzen Löchern im Multiversum. Nur die Niebieskis haben vor ihnen keine Angst. Die allerdings fürchten so gut wie nichts.

Doch wir kamen nicht weiter. Überall wimmelte es von leeren Feldern.

»Seit gestern ist unsere Welt schon wieder ein Stück enger geworden«, sagte Freyja und ließ ihren Blick in die Leere schweifen.

Wir kehrten um.

Gerade als wir unser Haus erreichten, hörten wir ein krachendes Geräusch. Es donnerte. Der Sturm war zurückgekehrt. Unsichtbare Blitze durchzuckten den Himmel.

»Sie wollen uns einschüchtern«, sagte Freyja.

Wir verkrochen uns ins Bett und verharrten fest umschlungen, bis sich das Gewitter legte.

› Zwiebel bitte

Mein Antrag auf die vierte Runderneuerung wurde angenommen und doch abgelehnt. Sie haben es also gewagt, sich mit mir anzulegen! Um so etwas zu sagen, muss man eine Schraube locker haben. Zu lange waren alle meine Schrauben festgezogen, jetzt ist endlich eine locker. Obendrein bin ich ein Narr. Das muss ich jetzt einmal loswerden.

Da ich meine Memoiren für abgeschlossen hielt, schickte ich sie vier Tage nach unserem letzten Telefongespräch per Kosmonet zu Dr. Multer. Zwölf Stunden später meldete er sich bei mir und bestätigte den Empfang des Manuskripts. Ich war aus dem Häuschen, als er erwähnte, er habe sich sofort hingesetzt und es bereits ganz gelesen. Er sei von meinem Werk sehr angetan, dennoch müsse er noch ein paar Einzelheiten mit seinem Vorgesetzten klären, bevor er mir bezüglich der Publikation offiziell antworten dürfe. Ich solle mir aber keine Sorgen machen, das sei eine reine Formalität.

In diesem Moment leuchtete ein rotes Lämpchen in meinem Kopf auf und ich spürte, dass an der Sache etwas faul war.

»Die wollen uns reinlegen, die Schweine«, sagte ich zu Freyja nach dem Gespräch mit Dr. Multer.

»Wie ich sehe, ist deine gute alte Paranoia wieder da«, erwiderte sie. »Aber bitte übertreibe diesmal nicht zu sehr, mein Schwänzchen. Willst du heute Knoblauch- oder Zwiebelsuppe?«

»Die sind zu allem fähig, das sage ich dir.«

»In dieser Hinsicht bist du auch nicht ganz ohne.«

»Vielleicht hast du Recht. Zwiebel bitte, aber nur eine Kapsel. Das letzte Mal spielte mein Magen etwas verrückt.«

»Dein Wille geschehe.«

Den ganzen Abend tigerte ich herum und grübelte. Freie Zeit ist etwas Entsetzliches. Freyja versuchte, mich auf andere Gedanken zu bringen, indem sie ein Abendessen mit vier Gängen hervorzauberte und es nackt servierte. Doch all ihre Bemühungen schlugen fehl. Sie war schön, unglaublich schön und sexy. Ich aber fühlte mich so, wie ich war: alt, hässlich und entbehrlich. Und nichts auf der Welt, nicht einmal meine Geliebte, war in der Lage, in jener Nacht meine Stimmung aufzuhellen. Das Essen dampfte auf dem Küchentisch vor sich hin, bis es schließlich kalt wurde. Dasselbe passierte mit Freyja, nur, dass es in unserem Bett geschah und sie danach eben nicht ungenießbar wurde. Sie redete mir so lange tröstend zu, bis ich mich beruhigte und einschlief. Sie mag es nicht, wenn ich zum Jammerlappen mutiere, und ich mag es nicht, wenn sie mir deshalb Vorwürfe macht.

Kurz nach dem Aufwachen hörte ich die Kutsche vorfahren und ging nach draußen, um September zu begrüßen und ihm beim Tragen der mitgebrachten Vorräte zu helfen. Die Luft war frisch, und es lag Raureif auf den Steinen, der erste in diesem Jahr. Doch ich sah keine Pferde und keinen September. Es schien, als wäre die Kutsche von alleine gekommen. Dann aber hörte ich das Wiehern der Pferde und Septembers Stimme: »Heute habe ich Ihnen einen Gast mitgebracht. Ein hohes Tier, glaube ich, direkt aus der Hauptstadt. Ich war auch einmal in Oslo und habe den König gesehen. Seine letzte Rede fand ich beeindruckend. Man hätte ihn verschonen sollen, seine öffentliche Entsorgung war nicht nötig, wirklich. Er war doch nicht viel älter als ich. Aber was soll's, Könige müssen auch einmal sterben, und das Leben der Klone geht weiter.«

Ich hörte, wie September vom Kutschbock sprang, streckte meine Hand aus und wartete, bis er sie mit seinen unsichtbaren Fingern umfasste und kräftig schüttelte. Ich wollte ihm nicht sagen, dass ich ihn nicht sah, denn das hätte ihn verwirren können.

»Na, da ist er«, sagte September, während er mit seiner unsichtbaren Hand das Verdeck aufklappte.

Als ich den unangemeldeten Gast erblickte, stockte mir der Atem. Es war Dr. Isak Multer. Mit Septembers Hilfe befreite er sich von unzähligen karierten Decken, in die er wie ein Inuit-Säugling eingehüllt war. Nachdem er vorsichtig ausgestiegen war, begrüßten wir uns.

»Sie leben ja richtig am Ende der Welt«, sagte er. »Vom langen Sitzen bin ich steifer geworden als die Skulpturen im Nationalmuseum. Und saukalt ist es bei euch auch.«

»Soll ich warten oder später wiederkommen?«, fragte der unsichtbare Kutscher.

»Herr Gepin wird bestimmt ein Plätzchen zum Schlafen für mich finden«, sagte Dr. Multer und bat September, am nächsten Morgen gegen elf wieder zu erscheinen.

September verabschiedete sich dienstbeflissen und knallte mit der sichtbaren Peitsche, um unsichtbare Pferde anzuspornen. Kopfschüttelnd beobachtete ich, wie sich die Kutsche mit rasanter Geschwindigkeit entfernte und geradewegs in ein leeres Koordinationsfeld fuhr. Der hat sie nicht mehr alle, dachte ich, der gute, unsichtbare September. Dann aber änderte die Kutsche auf einmal ihren selbstmörderischen Kurs, sprang auf den Feldweg zurück und verschwand hinter einer Kurve.

»Das hat er einzig und allein Ihnen zu verdanken«, sagte Dr. Multer. »Ja, Ihnen und Ihrer Idee mit der Frau.«

»Das ist aber eine sonderbare Feststellung«, sagte ich.

»Schauen Sie sich doch um, Herr Gepin. Sehen Sie wirklich nicht, was Sie angerichtet haben? Überall Pixelarmut, überall Lücken, Klüfte und riesige Löcher. Wie in Ihrem Gedächtnis. Was haben Sie aus dem gemacht, was wir Ihnen so großzügig zur Verfügung gestellt haben? Eine Steinwüste. Bevor Sie hierherkamen, war Byrtevatnet ein hübscher See und Mo eine Siedlung wie aus dem Bilderbuch, das kann niemand leugnen. Und jetzt? Jetzt verschwindet allmählich alles, sogar Pferde und Bedienstete. Sie sind schlimmer als Kreaorianer, die Wettbewerbe im Zerstören auf ihrem Planeten veranstalten.«

»Wie können Sie so etwas von mir denken. Ich habe nichts damit zu tun.«

»Oh doch! Das ist Ihre Welt, Herr Gepin, nicht meine. Führen Sie mich bitte ins Haus, ich brauche etwas Feuchtes und Warmes im Munde.«

Ich bat ihn, mir zu folgen.

› Die Menschen waren zu laut

»Leider konnte ich keine sichere Leitung finden«, begann ich das Gespräch.

Dr. Multer schaute mich überrascht an. Wir saßen in meinem Arbeitszimmer und tranken heißes Wasser mit Honig und Vitamin C.

»Wozu brauchen Sie eine solche Leitung?«, fragte er.

»Sie haben doch gesagt, dass Sie jeden zweiten Tag drei Minuten nach Sonnenaufgang auf meinen Anruf warten würden.«

»Nein, Sie irren sich. Ich habe lediglich gesagt, dass ich am sechsten Tag persönlich komme, um die Sache zu regeln.«

Ich schwieg. Ich konnte mich gut an seine Worte erinnern.

»Na gut«, sagte ich schließlich, »vielleicht haben Sie tatsächlich Recht, wenn Sie behaupten, dass mein Gedächtnis einem Sieb ähnelt. Aber woher kennen sie das Losungswort von damals?«

»Früher, bevor ich Beamter bei der Zentralkulturbehörde wurde, war ich Schreiber. Ich hatte hauptsächlich die Erinnerungen der ersten Untergrundler und alten Krieger zu bearbeiten. Der Computer zeichnete ihren Gedankenfluss auf, und ich machte daraus Bücher, die übrigens nie gedruckt wurden. Man hielt es für Müll. Sogar von Gottes Homepage wurden sie getilgt. Aus künstlerischer Sicht keine schlechte Entscheidung, finde ich.«

»Haben Sie sich nie die Frage gestellt, was die kommenden Generationen über uns sagen werden, wenn alles ausradiert sein wird?«

»Das, was auch wir jetzt sagen: Wir waren nicht dabei, also interessiert es uns nicht. Die nachfolgenden Generationen sind mit ihren Vorgängern noch nie zimperlich umgegangen. Tilgen und Fortschreiten, nur das zählt. Es ist nicht wichtig, was gestern passiert ist, es ist auch nicht wichtig, was heute geschieht – von Bedeutung, richtig von Bedeutung ist nur das, was morgen sein wird. Dafür einen Plan zu haben, das ist das Entscheidende. Die Ausführung dagegen gehört meist zu den eher langweiligen Dingen.«

»Sie sind also kein Echter, Dr. Multer?«

»Glücklicherweise!«

»Sie waren aber noch vor kurzem ein Mensch, das sieht man Ihnen noch an. Warum haben Sie sich zum Klonen entschlossen? Sie mussten das doch nicht machen.«

»Ja, ich habe mich freiwillig gemeldet. Der uralte Traum der Menschheit, Herr Gepin. Ich wollte aus dem Jungbrunnen trinken, ich wollte ewig leben.«

»Ist es wirklich möglich, ewig zu leben? Glauben Sie das?«

»Was fragen Sie mich? Seien Sie bitte kein Heuchler. Sie ließen sich doch auch schon mehrere Male runderneuern. Wenn man Sie nicht stoppt, werden Sie das weiter und weiter tun.«

»Wie ist es denn so, ein Klon zu sein?«

»Gar nicht schlecht, Herr Gepin. Man friert aber schneller an den Füßen und Händen. Sechs Liter Flüssigkeit am Tag zu sich zu nehmen ist auch nicht immer einfach. Blähungen, mein lieber Herr Gepin, Blähungen können einem wirklich das Leben schwer machen. Und ein Echter? Sagen Sie mir bitte, ist es in unserer Zeit schön, ein echter Mensch zu sein?«

»Früher war es schöner. Heute macht das immer weniger Spaß und hat im Grunde keinen Sinn mehr. Im Multiversum gibt es so viele Formen der Existenz. Die Konkurrenz ist dadurch größer geworden, und man ist und man fühlt sich nicht so wichtig wie früher. Es ist gut und schade zugleich.«

»Wissen Sie, Herr Gepin, warum die Himmelblauen überhaupt gelandet sind?«

»Darüber habe ich schon tausende Erklärungen gelesen und gehört. Wollen auch Sie mich jetzt mit Ihrem Einfallsreichtum beglücken?«

»Aber kennen Sie den einzig wahren Grund dafür?«

»Alle Gründe waren bis jetzt einzig und wahr.«

»Die Menschen waren zu laut, Herr Gepin.«

»Sollte ich jetzt vom Hocker fallen? Ist das alles? Ist das der wirkliche Grund?«

»Ja. Wenn eines Tages die Klone zu laut werden, dann wird man wohl auch das regeln. Gut, ich bin aber nicht zu Ihnen gekommen, um über philosophische Themen zu sprechen. Dafür ist die Zeit zu knapp und zu kostbar. Ich habe drei schlechte Neuigkeiten für Sie. Und ich sage von vorneherein, dass ich Sie retten will. Fragen Sie mich aber nicht, warum ich das zu tun beabsichtige. Ich bin Ihnen keine Antwort schuldig.«

»Spannen Sie mich nicht auf die Folter, Dr. Multer.«

»Also, als Erstes, Ihre Memoiren werden erscheinen.«

»Warum sollte das eine schlechte Nachricht sein? Es ist doch eher eine gute!«

»Nicht ganz. Wenn das passiert, werden Sie Ihr Leben nicht wiedererkennen.«

»Der Erfolg zieht meistens Veränderungen im Leben eines Menschen nach sich. Das ist nun mal so, wenn jemand Karriere macht.«

»Das meinte ich nicht, Herr Gepin. Einmal habe ich Ihnen versprochen, Sie in den Himmel zu heben und Sie berühmt zu machen. Und ich halte mein Wort. Jetzt geht es mir aber nicht um Ihren Erfolg als Schreibender, also nicht um Ihr Leben danach, nach der Veröffentlichung Ihres Buches. Viel wichtiger für unser Gespräch ist, dass sich Ihr Leben, das Sie in Ihrem Buch beschrieben haben, ändern wird, und zwar so gewaltig, dass Sie es nicht wiedererkennen werden.«

»Wie meinen Sie das?«

»Ihr bisheriges Leben passt nicht zu unserer Wirklichkeit und zu den ästhetischen Gesetzen. Hier geht es insbesondere um die Abschnitte, die sich mit den beiden Kriegen um die Luft befassen. Wir müssen sie umschreiben. Im Klartext, wir fühlen uns gezwungen, Ihr Buch, also auch Ihre Vergangenheit neu zu formulieren. Verstehen Sie mich jetzt? Wenn also in absehbarer Zukunft Ihr Buch auf dem Markt erscheint, wird das ein anderes Buch sein, als das, was Sie glauben geschrieben zu haben. Natürlich wird Ihr Leben auf Gottes Homepage entsprechend korrigiert. Und wenn wir Ihr Leben umschreiben, dann ändert sich natürlich auch das Leben all der Menschen, die Sie im Laufe der Jahre getroffen haben. Das versteht sich von selbst. Und so werden vielleicht Natalia Filipowna oder Ihr Vater oder auch Freyja völlig aus Ihrem Leben verschwinden.«

»Nur weil euch mein Buch nicht passt, wollt ihr mich fertigmachen. Das könnt ihr doch nicht tun!«

»Oh doch! Wir können, ja wir müssen es sogar. Die Blauen sitzen uns im Nacken und schauen uns genau auf die Finger. Die Kulturbehörde kann sich keine Fehler mehr leisten. Vergessen Sie bitte nicht, es geht um den Plan, um den Großen Plan! Es gibt so viele Geschichten des Multiversums, wie es Interessengruppen gibt. Und bei uns sitzen zurzeit die Blauen am längeren Hebel. Wir haben Sie zu nichts gezwungen, Herr Gepin. Sie sind freiwillig zu uns gekommen und haben den Wunsch geäußert, Ihre Memoiren zu verfassen. Und das haben wir Ihnen ermöglicht. Dass uns Ihr aufgeschriebenes Leben nicht gefällt und nicht in unsere Muster passt, ist nicht unsere Schuld, sondern Ihre. Ich persönlich habe Ihr Leben nicht gelebt, sondern Sie selbst. Dafür müssen Sie jetzt geradestehen.«

»Sie meinen also, die Zeit der Abrechnung ist gekommen?«

»Schön, ich merke, dass wir uns endlich näherkommen. Das erfüllt mich mit Freude. Ich möchte nicht, dass Sie denken, ich hätte Sie im Stich gelassen. Obwohl ich nicht dazu verpflichtet bin, habe ich mich mit Ihrer Person als Schreibender auseinandergesetzt und eine Lösung für Sie gefunden. Wollen Sie sie hören? Es ist keine sichere Lösung, aber die einzige, die in Ihrem Fall in Frage käme.«

»Na gut, was haben Sie vorzuschlagen?«

»Wie geplant werden wir das von uns veränderte Buch veröffentlichen. Ihre eigentlichen Memoiren dagegen müssen Sie zurückschicken, zurück in die Vergangenheit. Wenn Sie Glück haben, wird sie jemand auffangen und bekannt machen. Haben Sie Interesse daran?«

»Das kann doch nicht Ihr Ernst sein! Wie soll ich das denn anstellen?«

»Es ist einfacher, als Sie denken. Ich helfe Ihnen dabei. Das Zauberwort heißt: Blausaft. Mit seiner Kraft schicken wir Ihr Buch in die ungeschriebene Vergangenheit. Blausaft ist in der Lage, Informationen durch alle neun Dimensionen zu transportieren, also auch durch jene, die gekrümmt und eingewickelt sind. Wussten Sie das?«

»Sie sind nicht bei Sinnen, Dr. Multer. In meinen Memoiren beschreibe ich doch historische Ereignisse. Es wäre verrückt, ein historisches Buch in die Zeiten zu schicken, in denen Geschichte noch keine Geschichte war, sondern Gegenwart oder Zukunft.«

»Darüber zerbrechen Sie sich bitte nicht den Kopf. Die Leute aus der Vergangenheit werden Ihre Geschichte als Science-Fiction betrachten, und Sie sind aus dem Schneider. Geben Sie mir bitte alle Kopien Ihres Buches.«

»Wozu? Das mache ich nicht.«

»Ich muss aber darauf bestehen. «

»Sie haben leider Ihre Anweisungen, nicht wahr?«

»Ja, Sie haben es erfasst. Geben Sie mir bitte das, was ich brauche. Und machen Sie sich keine Sorgen. Wie versprochen, werde ich Ihr Buch in die Vergangenheit schicken.

Im Original, so wie Sie es geschrieben haben. Für unsere Zwecke werden wir es ins Anglos übersetzen müssen.«

»Was ist mit dem ursprünglichen Plan der Himmelblauen, die deutsche Sprache zu reanimieren?«

»Herr Gepin, Sie haben unsere Erwartungen nicht erfüllt. Die Umstände haben sich geändert und der Plan wurde auf Eis gelegt.«

Er bekam von mir alle Sicherungsdisketten. Sogleich tauchte in seiner Hand ein Schraubenzieher auf und er machte sich an meinen Computer heran. Er schraubte ihn auf und entnahm die Festplatte, die er samt allen Floppy-Disks in seiner braunen Aktentasche aus Kunstleder verstaute.

»Das wär's«, sagte er, während er die Tasche zumachte und das Sicherheitsschloss aktivierte. »Jetzt muss ich mit einer Bombe herumlaufen«, versuchte er zu scherzen.

Mir war aber nicht zum Lachen.

»Das war kindisch, was Sie da gemacht haben«, sagte ich.

»Finden Sie? Das sind die einzigen Datenträger, die man heutzutage nicht anzapfen kann. Alles andere ist zugänglich. Wussten Sie das nicht?«

»Jetzt verstehe ich, warum ich mit einem solchen Uraltcomputer arbeiten musste, noch dazu auf Deutsch. Geschickt eingefädelt, Herr Dr. Multer.«

Strahlend lächelte er mich an.

»Was ist mit meiner Runderneuerung?«, fragte ich danach. »Warum dauert das so lange?«

»Ja, Herr Gepin, Ihre Runderneuerung! Die vierte, wenn ich mich recht entsinne. Sie ist durch. Ja, sie wurde vor zwei Tagen genehmigt. Wenn Sie wollen, können Sie gleich morgen mit mir in die Klinik fahren.«

»Das ist nicht alles, was Sie mir in dieser Angelegenheit sagen wollen, nicht wahr? Wo also ist der Haken?«

Dr. Multer holte tief Luft: »Sie müssen sich von Ihrer Frau trennen, und zwar für immer.«

»Den Niebieski werde ich tun!«, sagte ich.

»Gerade das habe ich befürchtet, Herr Gepin. Ich muss Sie aber davon unterrichten, dass man das mit Ihrer Frau herausgefunden hat.«

»Wie?«

»Das kann ich Ihnen nicht sagen.«

»Aber Sie wissen es?«

»Nein. Ich weiß lediglich, wer seine Pflicht getan und Sie angezeigt hat.«

»Na, dann sagen Sie es mir.«

»Wozu? Sie können gegen diese Person sowieso so gut wie nichts unternehmen. Durch Ihr unverantwortliches Handeln ist sie sozusagen nicht mehr verfügbar.«

»Ich will es erfahren. Wer war es?«

»Herr Gepin, lassen wir jetzt alle bösen Gefühle beiseite. Freyja ist eine Ausgedachte, und das ist eine Tatsache, auf die wir uns konzentrieren sollten. Sie wissen doch genau, kein Echter darf mit einer Ausgedachten leben. Das ist verboten. Sie bekommen ihre Runderneuerung nur dann, wenn Sie Freyja abschalten. Freiwillig. Sie wissen, ausschließlich Sie sind dazu berechtigt und nur Sie können das tun. Kein Außenstehender darf sich in diese Angelegenheit einmischen, nicht einmal die Blauen. Wenn Sie sich weigern, das zu tun, was das Gesetz von Ihnen verlangt, wissen Sie genau, was Sie erwartet. Von mir aus, wenn Sie wollen, können Sie weiterleben wie bisher, also ohne runderneuert zu werden. Eines Tages werden Sie aber sterben und Freyja mit sich ins Grab nehmen. Ich weiß nicht und Sie wissen es auch nicht, wie viele Tage Ihnen dann noch übrig bleiben. Ich vermute aber, dass es nicht viele sind. Ihre Ressourcen sind stark verbraucht, und Ihre Zellen und Ihr Blut können sich nicht mehr aus eigener Kraft erneuern. Darüber hinaus haben Sie ab morgen kein Recht mehr auf Nahrung und Wohnsitz. Verstehen Sie, was ich meine? In einigen Stunden sind Sie ein Outlaw, und nicht einmal der Fliegende Kalmücke wird imstande sein, Ihnen, einem Geächteten, zu helfen.«

»Ja, Dr. Multer, ich verstehe Sie sehr gut. Meiner Frau und mir bleibt also ungefähr eine Woche, bis unsere Lebensmittelvorräte aufgebraucht sind, und dann noch eine, höchstens zwei Wochen, bis Erschöpfung und bei mir anschließend der Tod eintritt. Oder aber unserem Leben wird schon morgen ein Ende gesetzt, weil die Späher auftauchen und uns wegen unerlaubten Wohnens entsorgen. Ich weiß, worauf Sie hinauswollen. Doch kennen Sie den Fall von Adalbert Lesginka und seiner Hologrammfrau Hedda? Ich habe ihn genau studiert. Lesginka hatte sich in letzter Minute entschlossen, seine Hedda abzuschalten. Doch das hat ihm nicht viel genützt. Am Tag danach schickte man ihn auf eine interplanetarische Reise, die länger als zwei Jahre dauern sollte. Obwohl er zuvor gründlich runderneuert wurde, alterte er während der Reise zehnmal schneller als auf der Erde. Anders war es auch nicht zu erwarten, denn kein Echter ist fähig, länger als zwei Jahre am Stück durchs Multiversum zu reisen. Als das Raumschiff schließlich wieder auf der Erde landete, waren Lesginka und hundert andere Passagiere tot. Oder soll ich sagen: Gefangene? Nein, bei uns gibt es doch keine Gefangenen! Wir sind alle Passagiere, selbst dann, wenn man uns auf die letzte Reise schickt. Es ist billiger, ein unbemanntes Raumschiff mit Echten an Bord in die unendlichen Weiten des Multiversums zu schicken, als sie auf der Erde zu versorgen. Blausaft kostet ja nichts!«

»Ja, da ist den Behörden damals ein bedauerlicher Fehler unterlaufen.«

»Und in meinem Fall wird es keine Fehler geben? Das können Sie mir hoch und heilig versprechen? Mich wird man nicht ohne Rückfahrkarte auf die Reise schicken?«

»Keine Ironie, Herr Gepin. Sie hilft Ihnen jetzt nicht. Ich erwarte nicht, dass Sie schon heute Ihre Entscheidung treffen. Damit kann ich bis morgen warten. Was mich aber noch interessieren würde, ist Folgendes: Wie haben Sie ihre Frau erschaffen, wie haben Sie sie zum Leben erweckt? «

»Wozu wollen Sie das wissen?«

»Um meine Neugier zu befriedigen.«

»Für einen Klon ist das ziemlich ungewöhnlich. Aber gut, ich erzähle es Ihnen. Es ist im Traum passiert. Ich träumte von Freyja, und als ich aufwachte, war sie wieder da.«

»Das ist alles?«

»Ja. Sie träumen nicht, deswegen können Sie damit nichts anfangen.«

»Und wie lebt man mit einer Ausgedachten?«

»Ganz normal. Wie mit einer Echten. Da gibt es keine großen Unterschiede.«

»Noch eine Frage: Wie haben Sie es geschafft, dass man das so lange nicht entdeckt hat? Soviel ich weiß, wurde Ihre Frau erst vor kurzem runderneuert, dazu in einer städtischen Klinik. Ich muss sagen, ich bewundere Ihre Kunst. Also wie?«

»Das, mein lieber Dr. Multer, bleibt mein süßes Geheimnis. Als ich, noch in alten Zeiten, Untergrundler war, habe ich gelernt, wie man das Unmögliche möglich macht. Ich versichere Ihnen, unsere Behörde zu täuschen, war keine besondere Leistung.«

› Die Nacht auf Kreta

»Ich habe alles gehört«, sagte Freyja.

»Ja, ich weiß«, sagte ich.

Wir lagen in unserem kleinen Bett. Draußen war es stockdunkel.

»Ich bin also nicht echt.«

»Du bist genauso echt wie ich.«

»Das ist unsere letzte Nacht. Wir werden uns trennen müssen. Du musst mich ausschalten.«

»Das bringt uns nichts.«

»Aber du, du willst doch leben.«

»Ohne dich will ich nicht.«

»Ich könnte versuchen, mich selbst auszulöschen.«

»Das wird dir nicht gelingen. Du bist ein Teil von mir und ich ein Teil von dir.«

»Das klingt zwar schön, aber das sind nur deine Träume.«

»Deine auch. Du bist mein Traum und ich bin deiner.«

»Was hast du jetzt vor?«

»Erinnerst du dich an unseren Urlaub auf Kreta? Erinnerst du dich an den Abend, als wir Artischocken mit Fleisch gegessen haben? Es war Rindfleisch und das Essen war kalt, weil es schon sehr spät war und die Küche geschlossen hatte. Dann saßen wir am Meer, tranken Ouzo und schauten in den Himmel. Millionen von Sternen leuchteten über uns. Du hattest schon drei Sternschnuppen gesehen und ich noch keine. Dann sah ich aber endlich eine und konnte mir etwas wünschen.«

»Ja, ich erinnere mich. Das ist schon so lange her. Oh, wie jung wir waren! Du hast mir damals aber nicht gesagt, was du dir gewünscht hast.«

»Das sage ich dir heute. Ich habe mir gewünscht, zusammen mit dir alt zu werden und dann, wenn es so weit ist, gemeinsam zu sterben. Zwei Mal ist mir das leider nicht gelungen. Ich war nicht dabei, als du im Lager umgekommen bist, und auch, als du von einer verschwindenden Seite von Gottes Homepage verschlungen wurdest, habe ich weitergelebt. Jetzt, wo du zum dritten Mal erlöschen musst, werde ich dabei sein. Ich lasse es nicht zu, dass du auch diesmal alleine gehst. Diesmal werden wir es gemeinsam tun.«

»Weißt du, wer uns angezeigt hat?«

»Ich glaube, das war September. Ich habe zu spät erkannt, dass er ein Hologramm ist. Ich dachte, er wäre ein Geklonter. Meine Augen werden immer schwächer.«
»Der arme September. Ich mochte ihn sehr.«
»Ja, der arme September. Und die arme Freyja.«
»Alles, was lebt, hat Angst vor der Zeit, hast du immer gesagt. Weißt du, ich habe keine Angst mehr.«
»Das ist gut.«
Ein starker Wind war aufgekommen. Bis tief in die Nacht hinein horchten wir, wie es im Gebälk knisterte.

〉 Die letzte Kutsche

»Gestern haben Sie mir ziemlich viele Lügen aufgetischt«, sagte ich zu Dr. Multer nach dem Frühstück.
»Ja, womöglich habe ich das getan.«
»Trotzdem danke ich Ihnen. Sie waren so aufrichtig, wie man heutzutage aufrichtig sein kann. Und das ist immerhin etwas.«
»Es war zu Ihrem Schutz.«
»Da bin ich mir nicht so sicher.«
»Sie haben mir Ihre Frau noch nicht vorgestellt. Ich habe Sie gestern nicht gesehen und heute auch nicht. Verstecken Sie sie vor mir?«
»In gewisser Weise ja. Ich habe Angst, dass Sie sich in sie verlieben, wenn Sie sie zu Gesicht bekommen.«
»Da bin ich Ihnen zu Dank verpflichtet. Trotzdem möchte ich Sie fragen, ob es vielleicht möglich wäre, Ihre Frau kennen zu lernen?«
»Ich glaube nicht, dass sie das will.«
»Schade. Ich habe ihr Bild im Kosmonet gesehen. Sie schien mir recht reizend zu sein.«

»Das ist sie auch.«

»Wie lautet also Ihre Entscheidung, Herr Gepin?«

»Ich fahre nicht mit Ihnen. Ich bleibe da, wo mein Platz ist.«

»Das habe ich mir fast gedacht. Darf ich Sie also um Ihre Hand bitten?«

»Ich bin schon besetzt, Sie können mich nicht heiraten.«

»Machen Sie kein Theater, Herr Gepin, und geben Sie mir bitte sofort Ihre Hand. Ich muss den Daumencomputer entfernen. Das müssen Sie doch verstehen.«

»Wenn Sie das machen, werde ich jeden Zugang zur Außenwelt und zu Gottes Homepage verlieren.«

»Das ist der Sinn der Sache.«

»Jeder Einwohner des Multiversums hat das Recht, Gottes Homepage zu besuchen, wann immer er es will. So steht es im Gesetzbuch!«

»Sie, Herr Gepin, nicht. Sie gehören nicht mehr dazu.«

»Dann muss ich mich auch nicht mehr an die Regeln halten. Sie bekommen meinen Daumen nicht.«

»Sie überraschen mich, Herr Gepin.«

»Das war auch meine Absicht.«

»Wovor haben Sie solche Angst? Vor der Einsamkeit? Sie sind einsam auf die Erde gekommen, einsam werden Sie sie auch verlassen. Eine ausgedachte Frau kann Ihre Situation nicht ändern. Bald kommt September. Gemeinsam werden wir Ihnen den Daumen abnehmen.«

»Nicht wenn ich ihm sage, was ihn erwartet.«

»Sie haben es also herausgefunden.«

»Weiß September, dass er sein eigenes Todesurteil unterschrieben hat?«

»So viel Bewusstheit würde ich ihm nicht zuschreiben. Als Hologrammklon ist er ein Auslaufmodell. Schon längst sollte er aus dem Verkehr gezogen werden.«

»Sie haben ihn also nur benutzt.«

»Nicht mehr und nicht weniger, als man mich oder Sie benutzte, um irgendwelche Ziele zu erreichen. September muss nur noch eine letzte Fahrt machen und mich nach Fyresdal zum Flughafen bringen. Dann wird ihm der Saft abgezogen.«

Um elf Uhr kam der unsichtbare September mit seinen unsichtbaren Pferden. Ich begleitete Dr. Multer zur Kutsche. Draußen war es warm, so warm wie an einem frühen Herbsttag. Während ich September freundlich begrüßte, legte Dr. Multer seine braune Aktentasche auf den gepolsterten Fahrgastsitz, stieg ein und setzte sich.

»Sie sind ein Krieger alten Schlages«, sagte er schmunzelnd. »Ich weiß, wie Sie denken. Ich würde gerne mit Ihnen weiterplaudern, doch ich muss aufbrechen. Ich befürchte, Ihre Simulation fällt bald auseinander, und ich habe noch einiges zu erledigen.«

»Warten Sie noch kurz. Ich habe ein Geschenk für Sie.«

Ich ging in die Schuppen und suchte eine Axt aus. Die mit der schmalen Schneide schien mir passend. Dann legte ich meine Hand auf den Hackklotz und holte zum Schlag aus. Als ich zurückkehrte, drückte ich Dr. Multer meinen Daumencomputer in die Hand.

»Nehmen Sie ihn mit«, sagte ich. »Ich möchte nicht, dass Sie Schwierigkeiten mit Ihren Vorgesetzten kriegen. Außerdem will ich nichts von hier mitnehmen.«

»Sie werden also verreisen. Und Sie nehmen ihre Memoiren mit. Ich wusste nicht, dass die alten Wetterchips damals schon so gut waren.«

»Das wusste niemand. Nicht mal die, die ihn hergestellt haben.«

»Wann haben Sie alles auf ihn überspielt?«

»Von Anfang an habe ich alles auf meinem Wetterchip gespeichert. Sicher ist sicher. Ich wusste doch, mit wem ich es zu tun habe. Und jetzt fahren Sie endlich.«

»Bis zum nächsten Mal, Herr Gepin.«

»Da irren Sie sich, Dr. Multer, wir werden uns niemals wiedersehen.«

»Wie Sie meinen.«

› Ein Spaziergang wird uns guttun

Wir blieben alleine, Freyja und ich.

Wir machten das Haus ein bisschen sauber. Dann kochten wir gemeinsam und gegen sechzehn Uhr setzten wir uns an den Tisch in der Küche und aßen unser verspätetes Mittagessen. Die Suppe aus Sauerampfer-Kapseln schmeckte nach nichts.

Ich schaute auf den hundertjährigen Kalender, der an der Wand neben der Küchentür hing.

»In den nächsten Tagen wird es hier grausam kalt«, sagte ich.

Freyja lachte.

»Im Dezember war es früher meistens so«, sagte sie. »Aber jetzt nicht mehr.«

»Komm, ein Spaziergang wird uns guttun«, sagte ich nach dem Abwasch.

»Es ist also so weit?«

»Ja. Wenn sie kommen, dann meist gegen Abend. Ich möchte nicht, dass sie uns hier drinnen erwischen.«

Wir zogen uns an und verließen das Haus. Ich nahm Freyjas Hand. Sie war warm.

Wir wählten den Pfad, den wir oft aus dem Fenster unseres Alkovens beobachtet hatten. Früher waren dort die Ziegen gegangen.

Wir mochten diesen Pfad. Er schlängelte sich durch die Felsen und führte auf einen kleinen Berg.

Seit gestern war er schon wieder etwas kürzer geworden. Er endete jetzt in einem leeren Koordinationsfeld. Dort mussten wir hin.

Wir brauchten nicht hineinzuspringen, es atmete uns ein.

Auf der anderen Seite atmete es uns aus.

Und so kehrten wir zurück.

Es war schön, noch einmal ein Mensch zu sein.

Dariusz Muszer im A1 Verlag

Die Freiheit riecht nach Vanille Roman
216 Seiten, gebunden, ISBN 978-3-927743-43-4

Ein einziger Wutschrei der politischen incorrectness,
dabei erleichternd wie ein phantasievoller Fluch ...
Das Buch könnte in Rage versetzen, wäre da nicht
seine unglaublich dichte, klare und poetische Sprache ...
Muszer besitzt den Grobianismus Charles Bukowskis
und den schrägen Humor des frühen anarchischen
Günter Grass.
Klaus Seehafer, Neue Presse

Der Echsenmann Roman
208 Seiten, gebunden, ISBN 978-3-927743-58-8

Den »Echsenmann« zu lesen, ist wie das Hinterzimmer
einer dunklen Kneipe zu betreten, in der Kafka,
Dostojewski und Bohumil Hrabal bei einer stummen
Pokerrunde sitzen – und Dariusz Muszer sitzt lächelnd
in ihrer Mitte und verteilt verschmitzt die Karten.
Kersten Flenter, Hannoversche Allgemeine Zeitung

A1 Verlag www.a1-verlag.de

1. Auflage 2007

© by A1 Verlag GmbH, München

www.a1-verlag.de

Alle Rechte vorbehalten

Satz: Fotosatz Kretschmann GmbH, Bad Aibling

Litho: Kochan & Partner GmbH, München

Typographie, Umschlagentwurf und Gestaltung: Konturwerk, Herbert Woyke

Titelmotiv: Foto »Notausgangszeichen« von Siegfried Steinach/Voller Ernst

Druck und buchbinderische Verarbeitung: Ebner & Spiegel GmbH, Ulm

Papier Innenteil: 90 g/m^2 Schleipen Werkdruck hochweiß

Papier Vor- und Nachsatz: 100 g/m^2 Surbalin Linea chamois von Peyer

Papier Schutzumschlag: 135 g/m^2 LuxoMagic Bilderdruck glänzend von Schneidersöhne

Papier Überzug: 115 g/m^2 Surbalin Seda petrol von Peyer

Gesetzt aus der 10,6/13,9 Janson Text regular

Printed in Germany

ISBN 978-3-927743-94-6